IVAN COTRONEO
CRONACA
DI UN DISAMORE

ROMANZO
BOMPIANI

Cronaca di un disamore

Ivan Cotroneo
Cronaca di un disamore

ROMANZO
BOMPIANI

L'editore è a disposizione degli eventuali aventi diritto
riguardo all'immagine di copertina

© 2005 RCS Libri S.p.A.
Via Mecenate 91 - 20138 Milano

ISBN 88-452-5557-3

I edizione Bompiani ottobre 2005

II edizione Bompiani dicembre 2005

Finito di stampare
nel mese di dicembre 2005 presso
Grafica Veneta S.p.A. - Trebaseleghe (PD)
Printed in Italy

"Dimenticare il dolore è difficilissimo, ma ricordare la dolcezza lo è ancora di più. La felicità non ci lascia cicatrici da mostrare, dalla quiete impariamo così poco."

Chuck Palahniuk, *Diary*

"Ciò che più conta nella vita è il dolore che cagioniamo. La più ingegnosa metafisica non giustifica l'uomo che ha straziato il cuore che l'amava."

Benjamin Constant, *Adolphe*

a Robbo, che c'è sempre.

"Luca, non ti sembra di esagerare?"

No.

"Eppure sei sempre stato un ragazzo intelligente."

Non lo so, non credo. E comunque la mia morte è ragionevole. Non lo vedete?

"Ma cosa pensi possa succedere, adesso? Che aspetti? Ormai è finita. Ci sono cose più importanti."

La cosa più importante che si possa imparare è come amare, e come essere in cambio riamato.

"È successo anche a me, sai. E non ho certo fatto quello che hai fatto tu."

Nessun amore è originale. Tutti gli amori felici sono uguali, ogni amore infelice è infelice a suo modo.

"Ormai sai parlare solo con le parole di altri."

Quando è l'amore a parlare il coro di tutti gli dèi rende il cielo inebriato di armonia.

"Appunto. È questo che intendo."

Sì. Anche io.

Oggi è il ventiquattro febbraio. Sono le otto e quarantatré del mattino. Luca si è svegliato, rimane a letto, guarda la tapparella abbassata che non ha voglia di tirare su. Fuori forse è una bella giornata. O forse no. Allunga la mano verso il comodino, si accende la prima sigaretta. La nuvola di fumo sale verso gli occhi, li fa bruciare. Non si è ancora lavato la faccia, e ha già voglia di piangere.

Oggi sono passati due mesi e tredici giorni da quando Luca è stato lasciato. Ventuno giorni da quando ha visto Maurizio per l'ultima volta. Quattro giorni da quando Maurizio gli ha scritto, per dirgli che il suo silenzio lo stava sorprendendo.

"Non sei un uomo dai grandi silenzi," ha argomentato. Mentre fuma, Luca pensa che Maurizio lo conosce più di quanto lui vorrebbe. Non gli risponderà, però. Comunque non adesso.

Per Luca, l'unico conforto di questi giorni è pensare a Maurizio che apre la sua casella di posta, immaginarlo mentre aspetta di trovare un messaggio. E sapere che intanto, mentre schiaccia il tasto 'posta in arrivo', si dice fra sé: "Come se me ne fregasse qualche cosa."

Luca spera che questo non sia vero, e che un po', Maurizio, perfino lui con tutte le sue sicurezze, perfino adesso, perfino ripetendosi che ha fatto bene ad andare via, che sta meglio ed è più felice da solo, senta però qualcosa fargli male in fondo alla gola. E che senta quella risposta che non arriva nelle cose intorno a lui. Ascoltami nello scoppio dell'intonaco, nel cigolio del pavimento la notte.

Era cominciato d'estate, a fine luglio, la notte del ventiquattro. Si erano incontrati per caso, in una discoteca, dopo un pranzo di lavoro avvenuto due giorni prima durante il quale si erano conosciuti e avevano scambiato solo poche parole.

Al loro secondo incontro, in quella discoteca, avevano passato tutta la serata a parlare.

"Sei molto diverso da quello che pensavo," gli aveva detto Maurizio. "Quando mi avevano parlato di te al lavoro, mi ero fatto l'idea di un signore pedante…"

"E questo nelle tue intenzioni sarebbe un complimento?" gli aveva chiesto Luca sorridendo leggero. Due ore prima aveva incrociato il suo sguardo tra la folla, e si era sentito più verde di un'erba.

Alla fine, quando la musica dalle casse aveva smesso di suonare, Maurizio aveva chiesto a Luca il numero di telefono. Aveva una scusa articolata. A Maurizio avevano regalato un iPod, aveva bisogno dell'aiuto di Luca per metterci dentro un po' di musica prima di partire per le vacanze. Sarebbe andato all'estero. Luca gli aveva dato il numero di telefono, ed era ritornato a casa felice. Al mattino si era svegliato pensando: lo rivedrò. E davvero tutto era scomparso in quell'attesa.

Quattro sere dopo, Maurizio si era presentato a casa di Luca. In mano reggeva una piccola pianta rampicante con i fiori bianchi a forma di campana. Il vaso era avvolto in una carta crespa verde. Avevano cenato insieme. Poi avevano trasferito la musica dal computer di Luca sul lettore di Maurizio. Maurizio scorreva divertito i titoli sullo schermo, continuava a scuotere la testa e a dire: "Ci piace la stessa musica, non è incredibile? Non è pazzesco?"

Luca non rispondeva. In qualche modo lo sapeva già. Non ti ho conosciuto, pensava. Ti ho solo riconosciuto.

Prima che Maurizio andasse via, Luca aveva voluto baciarlo, lo aveva praticamente trascinato sul letto, aveva voluto vederlo nudo. Il sesso di quella prima volta era stato facile, naturale. Erano stati due ragazzini che si toccano cercando nel corpo dell'altro tutte le somiglianze con il proprio.

Il giorno dopo, prima che Maurizio partisse per l'estero, erano riusciti a vedersi ancora una volta. Luca era andato a prendere Maurizio di notte con la sua automobile, lo aveva portato su una strada consolare, appena fuori dal centro, davanti a un mausoleo antico. Lì aveva tirato fuori una bottiglia di vino e due bicchieri. Avevano brindato al loro incontro, e si erano separati. Sulla strada avevano incrociato due cani bianchi, ed era sembrato un segno.

Quella notte, tornando a casa, Luca aveva pensato a quanto tutto sembrava bello, a come avrebbe voluto passare altro tempo con Maurizio. Sapeva che sarebbe ritornato a fine agosto, pensava che sarebbe potuto partire anche lui, nell'attesa, e poi farsi trovare in città, quando Maurizio sarebbe tornato.

Passarono alcuni giorni. Maurizio telefonava. Mandava messaggi dall'estero.

Una sera, mentre Luca era a cena con due amici, arrivò un messaggio che diceva:

'Giuro che non sono ubriaco, ma se mi raggiungessi tu qui a M.? In fondo questa è anche la nostra estate.'

Luca si sentì improvvisamente bianco mentre leggeva il messaggio, sentiva il sangue che scendeva dalla sua fronte, passava sugli occhi, superava il naso, la bocca, il collo, e poi arrivava fin giù nel corpo. Poi tutto risalì su, un flusso di colore fortissimo alla testa. Rispose.

Il giorno dopo, Luca prenotò il suo biglietto aereo per la città di M. Poi si preparò alla partenza. Non disse a nessuno dove stava andando. La felicità gli metteva paura. Prima di partire, la mattina stessa, fece una corsa in un negozio dove confezionavano magliette con disegni e foto a richiesta. Se ne fece stampare due con la faccia di una cantante di qualche decennio prima, perché Maurizio parlando di musica aveva confessato una sua passione. Prese l'aereo, con i suoi soliti tranquillanti, perché Luca aveva sempre avuto paura di volare. Una volta sbarcato, ancora agitato e sudato per il volo, infilò la maglietta della cantante su quella che aveva e imboccò il corridoio che portava all'uscita.

Sentiva di galleggiare. Dietro quelle porte, che si sarebbero aperte tra poco, avrebbe rivisto Maurizio, avrebbe passato sei giorni di seguito con lui. Avrebbero dormito insieme. Lui, Luca, non riusciva mai a dormire con nessuno. Le porte si aprirono. Luca lo rivide e in quel momento pensò: se devo dipingere tutte le baracche del mondo per stare insieme a lui, lo farò.

Era il dieci agosto. Qualche settimana più tardi, ridendo, avrebbero fissato quella data come l'inizio ufficiale della loro storia, quel pomeriggio in cui Luca avanzò tutto sudato verso Maurizio con la maglietta che si era fatto stampare, un sorriso incerto sul volto, e le gambe che precedevano il resto del corpo, come se stesse varcando la porta di una stanza in cui il suo corpo fisico era ansioso di mettere piede.

Luca cerca di capire cosa avesse mai visto in Maurizio, che lo ha fatto pensare come non aveva mai pensato prima. Cosa, per una volta, non gli ha fatto avere timore di parlare. Cosa gli ha fatto sentire, vedendolo quel giorno a pranzo per la prima volta, che era proprio lui. E per quanto a lungo si tormenti, ogni volta scopre che non c'è niente, proprio niente, o almeno niente che sappia spiegare. Capisce che per mesi è stato lui a mettere negli occhi dell'altro, nelle sue mani, nei suoi gesti, nelle sue scarpe che non gli piacevano mai, l'illusione di un futuro. Eppure tutto questo, scoprire con sgomento che Maurizio è un golem dei suoi desideri e delle sue aspettative, non lo aiuta a smettere di amarlo.

Non risponde alle sue lettere, non perché sia arrabbiato con lui. Non perché lo odi per averlo lasciato. Non perché soffra troppo. Non gli scrive perché non ha niente da dire veramente a lui, a quello che Maurizio è nella realtà. Ha mille cose da dire, e notti e giorni da parlare, a tutto quello che Maurizio è nella sua testa, allo spazio che occupa dentro di lui. Al Maurizio che vive nella sua pancia. Nei polsi. Nelle gambe e nelle caviglie che al mattino quando si sveglia non sente mai, e ha paura non lo reggano quando si mette in piedi.

A Maurizio, al Maurizio che continua a respirare, a vivere senza di lui, non sa parlare. Può solo continuare a rivolgersi a una persona che non c'è, insistere a dialogare da solo, ed è stanco perché sono mesi che non fa altro. Si sforza di smettere di pensare al modo in cui piegava il capo quando sorrideva. Prega perché Dio gli apra gli occhi, lo sollevi per i capelli e lo tenga forte mentre finalmente vede.

Due giorni dopo l'arrivo di Luca nella città di M., due giorni dopo l'inizio ufficiale della loro storia, Maurizio e Luca andarono a visitare un parco della città straniera. Presero una barca a remi per fare il giro del laghetto. Luca spinse la barca fin sotto una fontana, voleva bagnare Maurizio con gli schizzi. Ma perse il controllo e dalla fontana qualche litro d'acqua entrò nella barca. Si inzupparono. Luca dovette togliersi tutto e rimanere con le mutande bianche. Sapeva di piacere a Maurizio in quei giorni, ed era contento di trovarsi quasi nudo davanti a lui. Dalla riva una bambina lo vide, sorrise e scappò via.

"Ma allora sei proprio cretino…" disse Maurizio sfilandosi le scarpe e scuotendo la testa. Poi guardò Luca e qualcosa si accese nel suo sguardo. Luca rimase a decifrare quello che si era mosso negli occhi di Maurizio, mentre rimetteva il remo nello scalmo. Pensò per un momento che in quegli occhi azzurri fosse passato l'amore del mondo, pensò a quegli occhi e a quando li aveva visti per la prima volta a quel pranzo di lavoro.

Dopo quel giorno sul laghetto, Maurizio usò spesso quel modo di canzonare Luca, di chiamarlo cretino e di scuotere la testa. Luca imparò a detestare quell'espressione, come tante cose che avrebbe detestato di Maurizio, e proprio come tutte le altre cose che non sopportava, quella frase gli muoveva qualcosa dentro, lo inteneriva e lo emozionava.

La stupidità è l'esser sorpresi, e l'innamorato viene sorpreso continuamente. Forse perché prima di Maurizio nessuno lo aveva mai chiamato cretino, Luca commise l'errore di credere che nessuno lo avesse mai prima di allora amato così tanto.

Questa mattina Luca va a un appuntamento di lavoro. Sempre di più, le sue riunioni somigliano a recite tutte uguali. Luca si fa forza, spera nessuno si accorga che, sebbene sia seduto in mezzo a loro, non sente nulla di quello che dicono. È l'unico testimone della sua passione. Guida la sua moto nel traffico e non ce la fa più, deve fermarsi. Pensa: un giorno questa città smetterà di parlarmi di te. Anche se vivo qui da quattordici anni, sono bastati quattro mesi di te a ridisegnare le strade, le piazze, le chiese, tutta la topografia, a fare di queste quattro strade in croce il teatro del mio destino. Tutto mi ricorda te, i ristoranti in cui siamo stati, l'argine del fiume sul quale abbiamo passeggiato quando faceva freddo. Il bar in cui hai mangiato la granita che ti ha fatto diventare la lingua blu. L'androne accanto al cinema dove ci siamo rifugiati dopo avere visto un film romantico di Hong Kong, e la guardia giurata che ci guardava male dal gabbiotto perché ci tenevamo stretti e mi baciavi sul collo. Le foglie gialle cadute sul fiume le abbiamo viste solo noi, e adesso non si può più tornare indietro. I vicoli intorno a casa tua ho paura anche ad attraversarli e, lo sai?, te lo immagini?, affronto complicati giri per non vedere quelle mura rotte. Ho il terrore di scorgerti mentre torni a casa con qualcuno, il braccio sulla spalla, le rampe di scale da affrontare con la sicurezza di finire rovesciati sul letto a ridere. Non ho mai odiato così tanto le porte chiuse. Non ho mai sofferto così tanto per le ombre senza nome che spariscono nel buio dei portoni. Ti maledico perché sei la prima persona nella mia vita per cui ho provato tutto questo. Non ho più la dolcezza dei tuoi baci e solo vado per il mondo senza amore.

Nei giorni in cui facevano l'amore, Maurizio era preciso e sistematico. A volte si presentava accanto al letto, sulle scale del suo soppalco stretto, reggendo già in mano un preservativo chiuso nella sua bustina, la bottiglia azzurra del lubrificante e una salvietta profumata che aveva portato via dall'ultimo aereo su cui aveva volato. Sopra la confezione verde c'era scritto 'Alitalia' e più in basso 'refreshing towel'.

Prima che Maurizio entrasse nella sua vita, per Luca l'amore era sempre stato rotolarsi a letto fino a non poterne più, poi correre in bagno, recuperare velocemente un preservativo, magari un asciugamano, tutto in fretta, tutto veloce, con il cazzo dritto che rendeva i movimenti ridicoli. Ed eccolo lì, Maurizio, alto e un po' impacciato, i piedi grandi, la salvietta dell'Alitalia. Luca una volta ironizzò sulla sua efficienza, ma Maurizio senza capire gli rispose: "Perché, che c'è di strano, sono solo organizzato."

Quando Maurizio metteva Luca a pancia in giù, gli faceva sempre male. Lo prendeva come piantandogli un coltello. Luca pensava sempre fosse colpa della salvietta già pronta, di quella organizzazione che si portava via tutto. A Luca non piaceva fare l'amore con Maurizio. Gli piaceva solo perché era lui, perché desiderava lui, non l'atto in sé. Gli piaceva perché gli sembrava che ogni volta, dopo, fossero più vicini, che avessero fatto un metro in più insieme. Luca lo osservava mentre Maurizio apriva la bustina, dopo. Lo osservava pulirsi, poi passargli la salvietta. E non diceva niente.

Luca stasera racconta la loro storia a un amico che non vedeva da più di un anno. L'amico non capisce. Continua a dire:

"Ma scusa, se non ti piaceva neanche tanto farci l'amore…"

Luca non risponde. Pensa: chi mai mi crederà se io giuro di avere avuto la peste per un anno? E chi non riderebbe, se dicessi di avere visto una fiasca di polvere bruciare un giorno intero? Ma non significa niente per te essere la festa di qualcuno?

Sa bene che non riuscirà mai a spiegare a nessuno il peso delle mani di Maurizio sulla sua schiena.

Per Alcibiade l'innamorato è come un uomo morso da una vipera. Dicono che chi sia stato morso non è disposto a raccontare cosa ha provato se non ai compagni di sventura, perché essi soli comprendono e possono scusare ciò che egli ha osato dire e fare sotto l'effetto di quella sofferenza.

"Sai perché stiamo insieme?" chiese Maurizio, la testa poggiata sul grembo di Luca. Erano in un locale all'aperto, su una panchina a ridosso di un muro vecchio di secoli.

"No, io non lo so," rispose Luca scherzando. "E tu?"

"Io sì. Stiamo insieme perché siamo innamorati."

Un giorno quando mi sentirò terribilmente triste, e il mondo sarà freddo, io avrò caldo solo pensando a te, e a come sei stasera.

Maurizio chiuse gli occhi, e pareva felice, e non esplose nulla nel cielo sul quale Luca alzò lo sguardo. Nessuno gli sorrise da lassù. Luca non si era mai sentito così. Era finalmente innamorato. Pensò: per chi sia stato a lungo nella città recluso, è assai grato ammirare il bel volto del cielo.

In questi giorni, tra i momenti brutti, non c'è un momento peggiore del risveglio. Quando Luca apre gli occhi, non riesce a non pensare a Maurizio, alla sua assenza. Più precisamente, gli sembra di avere già pensato a lui tutta la notte, e quando finalmente si sveglia si limita a continuare a farlo. Non c'è nessuna differenza. È questo che significa, pensare a qualcuno: dimenticarlo e risvegliarsi in continuazione da questo oblio. Luca si trascina a fatica fuori dal letto. Aspetta la fitta nella pancia. Spesso ha dei conati di vomito, ma non stamattina. Tira su la tapparella della camera da letto. Il vento ha fatto cadere in giardino una delle due biciclette che se ne stavano affiancate sotto un albero. Ora quella di Luca sta appoggiata contro quella di Maurizio, come fosse stata sul punto di cadere, e l'altra la avesse afferrata, pronta, per evitare il peggio. Come se un pezzo di metallo avesse avuto pietà dell'altro, o lo avesse voluto stringere per confortarlo.

Maurizio faceva così, quando Luca andava a prenderlo all'aeroporto. Tornava stanco, annoiato, odiando il suo lavoro. Mentre Luca guidava in silenzio verso la città, lui appoggiava la testa sulla sua spalla. Luca in quei momenti lo sentiva improvvisamente piccolo, dimenticava che Maurizio era più alto di lui, più grande d'età, un uomo fatto, un professionista di ritorno da un viaggio di lavoro. Maurizio gli diceva che era contento di essere tornato, che rientrare in città adesso gli faceva piacere. Restava zitto, così appoggiato per un po', la testa che pesava sulla spalla. Respirava piano. Luca sentiva di essere felice. Aveva voglia di accarezzarlo, di sfiorargli i capelli sottili, di quel colore confuso tra il biondo e il bianco. Ma non lo faceva mai, non lo toccava. Restava con le mani incollate al volante, come se intuisse già qualcosa, come se avesse paura di sciupare quei momenti di abbandono che Maurizio non gli concedeva mai. Come se un semplice movimento avesse il potere di rovinare tutto. Era un incantesimo. Era così facile sbagliare.

Stamattina Luca mette su il caffè e si chiede se adesso Maurizio torni in taxi dall'aeroporto, o se c'è qualcuno che va a prenderlo. Si chiede se pensi mai a lui lungo il tragitto, quando la strada asfaltata si avvicina srotolandosi alla città e cominciano ad apparire le prime luci. Si chiede se in quei momenti a Maurizio manchi qualcosa, se questo qualcosa sia solo la comodità di un autista, di una spalla su cui poggiare il capo, di qualcuno con cui scambiare quattro chiacchiere, o se gli manca una persona che lo ama. Luca si dice che Maurizio è probabilmente felice così, a ritornare dall'aeroporto da solo, a svegliarsi ogni mattina da solo, magari dopo avere rimorchiato qualcuno ed esserselo portato nel suo letto, e averlo poi diligentemente rispedito a casa. Luca pensa a dove sia Maurizio ora e come stia allietando gli altri. Stringe la

26

macchinetta del caffè e la fitta finalmente arriva, benvenuta. Piano, senza fretta, Luca si muove verso il bagno sentendo il sapore acido già tra i denti. Si mette in ginocchio e vomita. Pensa: sono nato stamattina e mi chiamo senza amore.

Le koi (*Cyprinus carpio*) appartengono alla vasta famiglia dei ciprinidi, che conta altre famose e diffuse varietà, come il pesce rosso. Si tratta di pesci molto conosciuti nell'antichità: carpe della varietà comune venivano allevate in Cina e Giappone già intorno al 2000 a.C.

I colori base che distinguono i vari tipi di koi sono il bianco, il rosso, il giallo, il blu, il nero e i colori metallizzati quali il dorato e l'argenteo.

Le carpe koi sono pesci molto resistenti e non vanno soggette a malattie.

Le carpe koi, oltre a essere pesci di grande pregio e bellezza, sono molto amate per il comportamento particolarmente confidenziale che sviluppano nei confronti delle persone che le accudiscono e nutrono. Si può osservare come le koi, molto spesso, si avvicinino al bordo del laghetto, richiamando l'attenzione per 'mendicare' cibo.

Noti anche come 'pesci coccoloni', le carpe koi si lasciano accarezzare il dorso e la pancia. A questo 'carattere affettuoso' e a questa disponibilità è dovuto il loro successo sul mercato.

Potete ordinare anche voi le carpe koi, da tenere in un piccolo laghetto o nell'acquario di casa. Pensate alla soddisfazione di ottenere da questi semplici animali la gratitudine e l'affetto che meritate.

Se intendete ordinare le carpe koi per il vostro acquario, premete ora il tasto 'carrello'.

Quattordici agosto. Nella città di M., Luca era in bagno. Stava facendo la doccia, prima di andare a letto.

"Ma quante volte al giorno ti lavi, tu?" gli aveva già chiesto Maurizio, la notte prima, mentre lui si spogliava. Luca aveva sorriso. Quel giorno avevano visitato un palazzo reale e una cattedrale, appena fuori dalla città. Luca sotto l'acqua stava ripensando ai loro passi nelle sale quasi deserte, uno accanto all'altro, giù per i corridoi e per le grandi stanze, e poi su per le scale strette, quasi sempre in silenzio. Loro due che camminavano assorti davanti ai quadri, fermandosi ciascuno dove voleva, imparando a conoscersi attraverso le soste, le esitazioni o i movimenti bruschi che ciascuno dei due metteva in scena nel corso del giro. Capire qualcosa dell'altro, quando e se rallentava il passo, o quando invece tirava dritto, quali colori, quali immagini e luci, quali scene lo colpissero di più. Avvicinarsi senza parole. Alla fine del giro, sul piazzale, avevano diviso una mela, seduti a terra, le spalle contro un muretto basso di mattoni, il sole di fronte che faceva strizzare gli occhi. Luca aveva detto qualcosa di

30

divertente, Maurizio aveva riso, mostrando la perla nella sua bocca. Tu mi hai rapito il cuore, fratello mio, mio sposo, con un solo tuo sguardo, con una sola perla della tua collana.

L'acqua calda ora gli picchiava sulla nuca, e Luca vide Maurizio entrare in bagno. In mano reggeva un tagliabasette a pile e fissava Luca con un'espressione divertita.

Luca chiuse l'acqua e cominciò ad asciugarsi. I capelli. Le spalle. Il petto. Istintivamente si coprì il sesso. Maurizio continuava a guardarlo senza parlare.

"Be'… ti fai rasare?" gli chiese poi sempre sorridendo.

Un momento dopo, Maurizio era accanto a lui, inginocchiato davanti alla vasca. Con il tagliabasette acceso, gli portava via i peli dal petto e dalla pancia.

Luca, in piedi, le gambe ancora bagnate, non capiva bene cosa gli stesse succedendo. Maurizio non sollevava mai lo sguardo su di lui, era lì, fisso a osservare i peli che si raccoglievano in mucchietti scuri e cadevano rotolando piano sullo smalto bianco. Luca non capiva come doveva sentirsi. Aveva voglia di urlare, in parte, e in parte era eccitato. Era arrivato in città da quattro giorni, non conosceva neanche bene quel tipo alto, e goffo, e bello, con il quale stava dormendo. Avvertiva che gli stava facendo qualcosa dentro, qualcosa che lo emozionava e lo turbava. Era fiero di quell'attenzione, di quel cambiamento, di quella richiesta. Sembrava che Maurizio gli dicesse: ti voglio così per me, solo per me. L'uomo è una stupida creatura che ambisce a essere conosciuta da qualcuno. Luca era quasi orgoglioso della tecnica di Maurizio, della sua precisione: se ne stava lì, la testa china sulla pancia nuda, assorto. In un certo modo ne era esaltato. Eppure avvertiva che c'era qualcosa di strano in quello che stava succedendo. Aveva paura.

Luca pensò: a nessuno avrei mai permesso di farmi questo, questo non è solo un gioco, non stiamo solo scherzando, questa non è solo seduzione, sta succedendo qualcos'altro in questo esatto momento, se solo sapessi cosa, allora potrei anche capire come sentirmi. Ma non riusciva a capire. Allora chiuse gli occhi, si mise ad ascoltare solo il ronzio dell'apparecchio a pile. Aveva deciso di non piangere, aveva deciso di negare a se stesso che volesse farlo. Non piangere, non sei solo. Non piangere, sarai sempre amato. Riaprì gli occhi e contò le mattonelle bianche di fronte a lui.

Pochi minuti dopo, i peli sul petto e sulla pancia erano molto più corti. Restava solo un'ombra scura in mezzo ai pettorali, e un'altra, sottile, appena più in alto del pube.

"Non è che ne avevi tanti, eh... Adesso sciacquati."

Maurizio sembrava soddisfatto. Uscì di nuovo dal bagno. Luca riaprì il getto d'acqua e si lavò.

Più tardi, a letto, Maurizio lo abbracciò, e cominciò a muoversi sopra di lui.

Luca pensava: non c'è niente di sbagliato, niente di niente, va tutto bene, è tutto come deve essere, e questo morso alla pancia, questa sensazione di guardare giù, in fondo all'abisso, è quella cosa bellissima e splendente che chiamano amore, e tu non ci sei abituato.

Un amico incontra Luca nella trattoria dove lui mangia a pranzo da solo, un paio di volte a settimana. Dopo qualche parola di circostanza glielo chiede.

"Ho saputo che stai soffrendo… per una storia d'amore…"

"Non sto soffrendo."

Non sono stato lasciato, pensa Luca. Non è successo.

Non vuole parlare. Nessuno ha voglia di parlare d'amore se non è per qualcuno.

L'amico va a sedersi al suo tavolo con una ragazza. La signora che gestisce il ristorante porta a Luca un piatto in più.

"Dài, ti ho fatto fare anche questo… Mangia un po' di più, che ti sei sciupato…"

Sostenetemi con focacce d'uva passa, rinfrancatemi con pomi, perché io sono malato d'amore. Luca solleva meccanicamente la forchetta. Pensa: io non so più se è giorno o è notte, e il mondo intero svanisce intorno a me.

Luca vorrebbe raccontare a Maurizio la fatica che fa a spingerlo fuori dalla sua vita. A non pensare a lui, a cacciarlo via dalla sua testa. In questo momento è in treno, e gli sembra impossibile che cada tanta neve mentre è ancora al Sud. Vede delle salite ripide, tra gli alberi, e si dice che se il suo amore fosse il premio di una sfida, se qualcuno gli chiedesse di scendere ora dal treno, e di scalare arrampicandosi con le mani su quella scarpata per potere ritornare con Maurizio, lui lo farebbe, anche con il suo zaino con il computer sulle spalle, anche infilando le mani nella neve, cadendo e rialzandosi, rompendosi i pantaloni e sanguinando in mezzo agli arbusti, spaccandosi i denti sulla pietra. Anche se non avesse gambe, lo farebbe.

Non sa quando finirà, questa cosa insopportabile, che ogni cosa lo fa ritornare a lui, ma anche se pensa alle parole dure che gli ha detto, a quanto andasse male, a come non stessero bene insieme, anche in quei momenti non serve a niente, perché Luca sa che riprenderebbe Maurizio subito, se lui mai tornasse. Sa che correrebbe giù dal treno se potesse trovarlo lassù, alla fine di quella salita. Arrivato in cima allora, stanco e sudato, lo abbraccerebbe felice, non sentirebbe più quel vuoto nel petto, dimenticherebbe tutto come fanno i bambini, e non si volterebbe neanche giù, a guardare tutta la sua vita che passa e se ne va sul treno dal quale è sceso correndo.

A settembre, Luca aveva raggiunto Maurizio in una città con le torri. C'era un convegno di architettura, e Luca aveva deciso di andare lì per potere passare due notti insieme. Una sera, dopo cena, erano ritornati in albergo. Si erano fermati a una farmacia notturna, per comprare lo spazzolino che Luca aveva dimenticato. Al rientro in albergo, il portiere di notte aveva guardato Maurizio con aria interrogativa, la mano già tesa verso lo scaffale con le chiavi delle stanze. Aveva le dita ingiallite dal fumo, e il nodo della cravatta un po' allentato.

"Trecentoventisei," aveva risposto Maurizio.

"Trecentoventisei... e?" chiese ancora il portiere con aria interrogativa guardando Luca.

"Trecentoventisei e basta," rispose Maurizio pronto. Il portiere consegnò la chiave, e nascose male il suo disappunto.

Salendo in stanza, Luca e Maurizio avevano riso di gusto, divertiti ed eccitati, si erano baciati scontrandosi contro le pareti argentate dell'ascensore, avevano aperto la porta, si erano buttati sul letto e avevano fatto l'amore.

Nelle settimane successive, Luca aveva chiesto più volte a Maurizio di rifargli quella voce, di ridargli quella risposta, di ripetere ancora: "Trecentoventisei e basta." Il fantasma di quando erano stati felici rimaneva fra loro, e Luca ci si teneva legato. Trecentoventisei e basta, trecentoventisei e basta, e, in quel giorno d'autunno, il pomeriggio in cui Maurizio lo avrebbe lasciato sembrava impossibile, soffocato dalle risate, dagli sguardi e dalle parole, nascosto e invisibile.

Invece, mancavano settantotto giorni.

Luca pensa: è questa fiducia insensata che odio, questa specie di convinzione per cui tutto questo amore, tutta questa energia che porto dentro non può andare buttata via. Qualcuno, da qualche parte, quando ero piccolo, deve avermi detto che quando si è così amati non si può non amare, che non vi è ostacolo al passo dell'amore, e quel che amore vuole, amore osa. E io lo so adesso, lo so bene, che questa è la più grande cazzata del mondo, eppure non riesco a mollare, non riesco a mollarti, non riesco a non pensarti. Ogni ora che passa è sempre un po' peggio. Dovrei avere il coraggio di prendere tutti i nostri giorni e buttarli via, senza pensare più. Non si tengono i ricordi di un delitto. E tu salvami che sto affogando nel mare, e poi picchiami a sangue sulla spiaggia e fammi tornare a essere me stesso.

Un giovedì del mese di ottobre Luca aprì in fretta il portoncino e la porta d'ingresso, e poi ritornò di corsa davanti al fornello. Aveva già apparecchiato, dovevano cenare in fretta se poi volevano davvero uscire. Maurizio entrò dalla porta senza dire una parola, fece cadere la sua borsa da lavoro a terra, poi sempre in silenzio raggiunse Luca e lo abbracciò da dietro. Luca rimase immobile così. Maurizio non lo lasciava andare. Voleva solo tenerlo stretto e stare zitto. Dopo un po', dopo un tempo che per il resto del mondo poteva essere stato lunghissimo, Maurizio gli disse piano all'orecchio:

"Restiamo qui, così, per sempre, abbracciati. Chiudiamoci dentro e mandiamo a morire il resto del mondo."

Fu allora, in quella sera ordinaria, che Luca vide per la prima volta il loro amore. Vide la padella con il sugo che si stava cuocendo. La vide seccarsi, e poi bruciarsi, e poi esplodergli davanti agli occhi, mentre lui continuava a tenere Maurizio stretto a sé, e i telefoni squillavano impazziti e la gente urlava e bussava alla porta per entra-

re, e qualcuno mandava degli elicotteri, ma loro continuavano a restare così, a non esserci per nessuno, dietro
la porta chiusa, nell'abbagliante luce del loro amore.

'Sono in un bar con un buon amico, ascolto musica e per la prima volta dopo tanto tempo ammetto di provare qualcosa.'

'Se non funziona con te che sei una persona straordinaria non funzionerà mai con nessuno. Dovrò cambiare vita e città.'

'Come puoi dubitare del mio amore? Non vedi come mi faccio piccolo quando sei insieme ai tuoi amici? È un modo per dirti sono qui, resto nascosto, perché so che dopo sarai tutto mio.'

'Per favore verresti a prendermi e portarmi via?'

'È così bello essere innamorato di te.'

'La mia vita è cambiata da quando dentro ci sei tu.'

Luca rilegge le parole che Maurizio gli ha scritto. Pensa: vorrei che le parole non fossero così pesanti, così importanti per me, vorrei che non mi incatenassero, e invece ogni volta che ricordo quello che mi hai detto, quello che mi hai scritto, mi condanno perché non è più così. Lo so che le parole non contano, e che la vita è sempre più forte delle promesse fatte. Eppure mi dico di no, che non è possibile. Torna lì, Maurizio, torna in quel punto dove eri, dove sei stato così poco, giusto il tempo necessario perché io ci credessi.

Questa settimana Luca vede Maurizio tre volte. In una città grande come quella in cui entrambi vivono, sembra una specie di persecuzione.

All'uscita dal dentista, mentre Luca fuma in strada, lo scorge passare sul motorino, Maurizio si volta a guardarlo e prosegue. Al collo ha la sciarpa blu che gli ha regalato, e se la porta via.

In un locale Luca lo vede entrando, era sicuro che sarebbe stato fuori città, accusa il colpo, fa finta di niente. Maurizio lo vede, non lo saluta. Tu muto sei un angelo, e sei venuto a operare una catastrofe. Quasi un'ora più tardi incrociano gli sguardi, Luca alza la mano per salutarlo, Maurizio fa lo stesso.

Domenica mattina Luca è in bici al parco, mentre scende da una stradina lo vede da dietro, sdraiato sull'erba sotto un albero. Parla al cellulare e ha addosso la felpa rossa con il cappuccio, la stessa che gli ha prestato qualche volta. Luca pensa: chissà con chi parli. Chissà con chi stai parlando, e a quali orecchie la tua voce risuona divertita. Pedala ancora, poi quando è finalmente fuori vista, si ferma e cerca di respirare. Sei l'uomo che volevo per me. Sei l'uomo con cui volevo dividere tanto, tutto. Ti ho stretto tra le braccia mentre piangevi per il lavoro. Ti ho sentito addolorato quando mi parlavi di tua madre, e del fatto che ti nascondeva i santini sotto il materasso, pregando che ti piacessero finalmente le ragazze. Ti ho ascoltato parlare della depressione di tuo padre, del fatto che avevi paura di essere come lui. Ti sono stato vicino perché volevo starti vicino, e quando mi ringraziavi meravigliato di questo, ti rispondevo che è così che succede, non capivo perché ti stupissi, è così che si fa quando due persone si vogliono bene, ci si sta vicini. Ci si sta vicini e non ci si lascia più. Non lo sai che l'amore serve a generare una moltitudine di belli e magnifici discorsi?

Luca racconta la sua storia d'amore a due amici, un uomo e una donna, in tempi diversi, ma tutte e due le volte al tavolo di un ristorante.

L'uomo, che di mestiere fa il regista, gli dice, ammirato: "Questo Maurizio deve essere proprio un vincente." Luca sente di colpo freddo, vorrebbe chiedere perché abbia detto una cosa del genere, decide in quel momento che vorrebbe non vedere il suo amico mai più.

La donna, che di mestiere fa la scrittrice, gli dice: le persone così, le persone come Maurizio, sono una frode, bisogna farle uscire dalla nostra vita. Le persone così portano un marchio, e già quando le incontri la prima volta dicono o fanno qualcosa che rivela come sono realmente. Notano già dal primo incontro che hai fatto qualcosa di sbagliato. Solo che tu non vuoi vederlo, e ti dici: è stato così superficiale o così stronzo solo perché è emozionato, e lo accogli. Queste persone entrano nella tua casa mettendo un piede per bloccare la porta, poi, una volta che si sono introdotte, divorano tutto come ladri, come pescecani, mangiano la tua vita, e quando vanno via ti lasciano tutti i cassetti aperti, le ante degli armadi spalancate, e da quei cassetti e da quelle ante escono tutte le tue paure, come tanti spauracchi, come giocattoli a molla con un sorriso cattivo dipinto sul volto, che ti guardano e ti minacciano, dicono che non ti lasceranno vivere più. Ma non sono paure nuove, non c'è niente che tu non abbia già incontrato, sono le tue paure vecchie di quando eri bambino, e tu puoi andare lì a richiudere tutto, non devi aspettare che torni lui, non ne hai bisogno. Maurizio non ti serve, adesso sei solo tu con tutti i tuoi spaventi, vai lì, rimetti tutto a posto, richiudi tutto e già che ci sei butta quello che non ti serve più. La donna tiene stretta la mano di Luca nella sua, per fargli capire che è con lui, e qualche minuto dopo va via.

Luca rimane ancora nel ristorante, a osservare tutti i giochi da bambino intorno a sé, i mostri che spuntano dagli scaffali tra le bottiglie di vino e gli fanno le boccacce dalle mensole. Non ha il coraggio di alzarsi e richiudere i cassetti. Prende il suo zainetto, lo mette sulle spalle, e giura che un giorno tornerà in questo ristorante, tornerà a riprendersi la sua vita, quando sarà più forte, e rimetterà tutto a posto e i pupazzi non gli faranno più tanta paura. Un giorno, sì, pensa portando il conto alla cassa, un giorno rinasco, ma adesso no, per favore, adesso non posso proprio farcela, lasciatemi tornare a casa, a tirarmi il lenzuolo sulla testa e a dormire.

A letto, sotto le coperte, con le luci spente, Luca vuole toccarsi. Le ultime due volte, lo ha fatto pensando a Maurizio. Questa volta non vuole che sia così. Vuole cercare di lasciarlo andare. Vuole cominciare a fare l'amore senza di lui. Non ha nessuna voglia di toccarsi, in realtà, nessun desiderio, ma comincia a sfregarlo con la mano destra, scacciando via tutte le immagini che gli vengono alla mente.

Il ginocchio di Maurizio puntato sul lenzuolo bianco.

"Mi sento così fortunato ad averti incontrato."

L'acqua che scorre nella doccia.

La pietra bianca delle unghie di Maurizio.

Il suo braccio che lo cerca nel letto.

Il sorriso nel riflesso dello specchio, mentre nudi si fanno la barba.

Via, smettila, non ora.

Pensa a un ragazzo che ha visto in piscina, un ragazzo che gli ha sorriso, e al quale Luca ha girato la faccia. Immagina di avergli risposto, invece. Immagina di averlo incontrato di nuovo fuori, seduto sulla panchina dell'atrio, di averlo seguito a casa, di essersi seduto su un divano chiaro. Immagina il ragazzo che gli sorride di nuovo, e che si avvicina a lui, con uno sguardo insieme ingenuo e sfrontato.

Sotto il lenzuolo, nella mano destra il cazzo di Luca si gonfia un po', finalmente.

"Posso chiamarti *barzotto*?" gli aveva chiesto un giorno Maurizio.

"In che senso?"

Maurizio sorrise.

"Tipo, se siamo a cena con gli altri, posso dire, 'scusa barzotto, mi passi il pane?'"

"Come vuoi Mau… Però guarda che barzotto si capisce cosa vuol dire. Vuol dire solo quella cosa lì…"

"Ah, non è un termine che hai inventato tu?"

"No. Si usa comunemente."

"Ah… Allora no. Allora potrei chiamarti… potrei chiamarti *baccello*…"

"…Mi piace baccello, è carino."

"No, però non posso chiamarti baccello. Lo usavo già per Stefano. Non va bene. Scusa."

Sul mio letto, lungo la notte, ho cercato l'amato del mio cuore. Luca lascia stare, si tira su le mutande, si gira a pancia in sotto, ricaccia indietro le lacrime, si sforza di restare al buio, perché tanto anche se riaccendesse la luce non ci sarebbe niente da vedere, si chiede quando smetterà tutto questo. Quando arriverà il giorno in cui non ricorderà neanche più i caratteri con cui si scrive il nome di lui. Beati gli smemorati, perché avranno la meglio anche sui loro errori.

Maurizio aveva il collo del piede alto.

'La fiocca', la chiamava lui, un collo del piede così alto che le scarpe da ginnastica, o gli stivaletti neri non gli si chiudevano.

Forse era un difetto fisico, ma a Luca piaceva. Avrebbe voluto baciarlo più volte, il collo del suo piede, e una volta lo fece mentre lui dormiva. Questa notte, quando si sveglia, il letto vuoto gli fa male più del solito. Non c'è il corpo di Maurizio sul quale piegarsi piano, in silenzio, non c'è quel pezzo di pelle da baciare vergognandosi un po', e sperando che lui non se ne accorga. Pensa che il corpo di Maurizio è stato l'amo in cui si è impigliato, e per quanto si dibatta, non riesce più a liberarsi.

Luca esce da una riunione di lavoro con un collega.

"Cazzo, è andata benissimo, praticamente ci hanno detto di sì a tutto… Io non ci speravo proprio… Ti rendi conto? Ci abbiamo lavorato per un anno, ma… cazzo, se valeva la pena…! Ma che hai, Luca, non sei contento? C'è qualcosa che non ti è piaciuto? Che c'è?"

Cosa sono le meraviglie in mare e cielo senza avere te compagno al mio pensiero?

"Non c'è niente. Sono felice che sia andata bene. Adesso scappo, sono in ritardo."

Questa sera Luca va con un'amica al ristorante cinese dove era stato con Maurizio. Due volte hanno mangiato lì insieme. La prima era settembre, ed erano ancora felici. Le sue ginocchia toccavano quelle di Maurizio sotto il tavolo. La seconda, due mesi dopo, Luca la ricorda bene. Avevano mangiato in fretta, erano andati a un cinema vicino, Luca aveva trovato il film brutto e deprimente, all'uscita pioveva e si erano riparati sotto la tenda del ristorante aspettando che smettesse. Luca sapeva già, Maurizio lo aveva detto più di una volta, che stavano per ritornare ciascuno a casa propria, perché così voleva lui. Luca aveva già avuto il tempo di rimanerci male. Erano rimasti sotto la tenda, Luca non ne poteva più e aveva minacciato due o tre volte: "Adesso chiamo un taxi." Avrebbe voluto che lui gli dicesse, prendiamolo insieme, vieni a casa mia, vengo a casa tua, voglio stare abbracciato a te, voglio sentire l'odore della tua pelle, voglio fare l'amore, voglio svegliarmi domani mattina accanto a te, e se siamo fortunati continua a piovere e restiamo tutto il giorno a letto. Maurizio non lo aveva fatto.

51

Stasera Luca dice alla sua amica che sotto quella tenda, tre mesi prima, era stato molto infelice. Che già allora cominciava a capire che non poteva essere Maurizio il suo amore, che avrebbe continuato ad aspettare da lui cose che non poteva o non voleva dargli. Stasera a Luca sembra la cosa più difficile da accettare, questa, che di un amore finito ti mancano anche i momenti brutti, anche quelli in cui sei stato infelice. Sapere che non c'è liberazione nemmeno così, nemmeno pensando che era tutto sbagliato e tutto destinato a finire. Non c'è pace a ricordare quanto siano stati felici, non c'è conforto a pensare quanto soffrisse. Non c'è più niente. È sbocciato quest'odio come un vivido amore.

In questi giorni di marzo, andare a noleggiare un dvd diventa un inferno. Tutti i film che hanno visto insieme, ciascuno è una memoria di mani nelle mani, di sguardi di intesa, di commenti sussurrati. Luca spera nel passaggio dei giorni e delle settimane, spera nelle nuove uscite, che quei film finiscano, che passino. Ma poi arrivano i film che avrebbero voluto vedere insieme, e Luca nel negozio si sente schiacciato da quella parete di copertine, si sente solo lì davanti. Pensa: dove sono finite tutte le cose che avremmo dovuto fare insieme? Le promesse fatte, le avventure che ci dicevamo avremmo vissuto, sono tutte diventate lettera morta, non esistono più. Pensa a me. Pensa a tutte le cose che abbiamo visto e diviso, non pensare alle cose che sarebbero potute accadere. Luca esce dal negozio. Nessun prete a salutare il suo passaggio, nessuno che lo tenga per mano, che gli stia vicino e gli dica: "Coraggio."

"Lo so come finirà fra noi," disse Maurizio una sera di settembre, "finirà che tu mi lascerai, e io mi ritroverò da solo. E qui non conosco nessuno. Mi farai soffrire. Lo so già."

Luca osservò Maurizio seduto dall'altro lato del tavolo. "Ma che dici, Mau?"

"Lo so, finirà così. È scritto. Tu hai un sacco di amici, il tuo telefono squilla sempre. C'è tanta gente che ti vuole bene."

"E allora? Anche i tuoi amici ti vogliono bene."

"Lavorano con me, sono il loro capo, è per questo che mi vogliono bene."

Luca si sporse dall'altro lato del tavolo e gli diede un bacio.

"Non è vero. E poi io non ti lascerò mai."

Poi, mentre Maurizio mangiava, Luca gli chiese:

"Non ti sembra strano?"

"Cosa?"

"Tutto. Noi. Questa paura di lasciarsi... e di rimanere

54

soli o di essere traditi... Insomma, tu hai quarantun anni... io trentasei..."

"E allora?"

"Alla nostra età i nostri padri si erano già sposati e avevano fatto dei figli."

"Mio padre era anche più giovane."

"Appunto. E noi stiamo qua a parlare di baci, di abbandoni e di tradimenti come fossero la cosa più importante del mondo."

"Ma che vuoi dire? Che perchè siamo omosessuali non possiamo avere figli e quindi..."

"No, non è perché siamo omosessuali... non c'entra... Volevo dire che..."

"Cosa? Che siamo infantili?"

"No. Non questo."

"Allora cosa?"

"Niente."

"Niente?"

"Mau, non lo so che voglio dire."

Maurizio riprese a mangiare, e Luca continuava a osservarlo. Luca pensò: ecco, voglio dire che mi sento fragile di fronte a te, così fragile perché sto mettendo i miei giorni nelle tue mani, perché il pensiero della tua bocca che bacia un altro mi fa stare male, e penso che dovrei essere troppo grande per tutto questo, dovrei pensare ad altro, al mio lavoro, alla mia famiglia, alle grandi cose della vita, ma se non sono queste che vivo con te le grandi cose della vita, allora io non so quali sono. E mi sento un adolescente innamorato stretto nel corpo di un uomo, e tutto questo lo sconterò, lo so, lo so bene che questo amore non mi viene dato gratis.

Omosessuali si nasce o si diventa? La scienza indaga il caso di due gemelli, inglesi, Patrick e Thomas, sette anni, perfettamente identici. Ma mentre Patrick è delicato e riflessivo, Thomas è aggressivo e rumoroso. Thomas gioca con le pistole, Patrick con le Barbie. Ai suoi compagni di classe Patrick spiega di non essere un bambino, ma una bambina.

I due gemelli inglesi mettono in crisi i sostenitori delle differenze genetiche fra omosessuali ed eterosessuali, dal momento che dispongono dello stesso patrimonio genetico. Smentiscono infatti la presenza del cosiddetto 'gene gay', il cromosoma Xq28, scoperto nel 1993, che dovrebbe essere responsabile del comportamento omosessuale. Contemporaneamente i due gemelli di sette anni screditano anche le teorie freudiane secondo le quali l'omosessualità deriva da fattori ambientali, dall'educazione ricevuta, o per esempio da una madre troppo protettiva.

Negli Stati Uniti è in corso uno studio quinquennale condotto su cinquemila fratelli omosessuali ed eterosessuali. Grazie a questo studio è possibile fare alcune considerazioni illuminanti. La differenza tra i due gruppi potrebbe svilupparsi durante la gestazione. Una madre stressata durante la gravidanza avrebbe più possibilità di mettere al mondo un figlio gay, poiché l'ansietà può provocare la nascita di figli maschi con atteggiamenti meno virili e con un interesse meno sviluppato per il sesso opposto. I gay, inoltre, dimostrano maggiore capacità di orientamento se si trovano per le vie di una città o se devono leggere una mappa. Negli omosessuali l'istmo del *corpus callosum*, che collega parte destra e sinistra del cervello, è più spesso del 13 per cento rispetto agli eterosessuali. Fra gay e lesbiche la percentuale di mancini è nettamente superiore rispetto alla media degli eterosessuali. Inoltre, se un bambino gioca con le bambole, si traveste da bimba e preferisce la compagnia delle femmine, la scienza dice che in due casi su tre da grande sarà gay.

La cosa più oscena dell'amore, pensa oggi Luca, è che non ti importa niente del resto del mondo. Apri il giornale, ascolti i notiziari. C'è stata un'onda anomala, che ha ucciso migliaia di persone. E tu sei addolorato, guardi le immagini, scruti le foto. Eppure sai, nel profondo del cuore, che quella tragedia non è importante per te quanto una telefonata che non arriva, quanto il tuo amore che è finito. Mi fa schifo, tutto questo, pensa Luca. Questo non può essere amore, perché l'amore dovrebbe farti partecipare degli altri, dovrebbe farti sentire più vicino. L'amore tende a possedere eternamente il bene. Non può essere amore questo sentimento orribile, egoista, questo fregarsene del mondo. Questa è solo un'ossessione, che mi spingerà sempre più lontano, e vorrei piangere per il dolore degli altri, e invece riesco a stare male solo per la tua assenza, per la mia piccola storia finita male, e non mi sento più neanche un uomo, solo un bambino capriccioso che punta i piedi e dice: ridatemi il mio compagno di giochi, ridatemi l'altro che mi faceva sentire vivo, se n'è andato via e si è portato con sé tutto l'amore che provavo per gli altri. Non riesco più a vivere, e questa è la tomba orrenda del mio amore.

A settembre, Luca aveva portato Maurizio sull'isola. Ogni anno lì affittava per qualche settimana una casa, con una bella terrazza sul mare. Presero l'aliscafo, attraversarono il porto con le sacche sulle spalle, salirono sul piccolo taxi bianco fino ad arrivare alle case più nascoste, dall'altra parte dell'attracco. Maurizio sembrava felice, contento di tutto quello che ancora non conosceva. L'acqua trasparente che si muoveva dal verde al blu, la piccola barca a motore da noleggiare, il sole che rendeva spossati, la terrazza e il tramonto lento. La sera cenarono in un ristorante sul mare, e poi scesero sugli scogli a baciarsi. Quando rientrarono a casa, Maurizio prese l'iPod e disse:

"Facciamo un gioco. Ora metto una scelta casuale dei brani. La prima canzone che viene fuori dirà qualcosa di noi e del nostro futuro insieme." Luca ridendo disse di essere d'accordo, e appena prima che Maurizio schiacciasse il tasto, scoprì con sorpresa di avere paura. La canzone che venne fuori era in inglese. Il testo diceva: 'sono nato per renderti felice'. Luca sentì il suo cuore che faceva un salto. Maurizio un po' imbarazzato disse:

"Vabbe', adesso non è che dentro questo coso ci sono così tante canzoni…"

"Ce ne sono ottocentosessantanove," rispose Luca.

"Allora è una coincidenza, tutto qui."

Poi, come se fosse pentito di quello che aveva detto, Maurizio gli diede un bacio.

Fecero l'amore, in bagno, sotto la doccia, mentre si preparavano per andare a dormire.

Più tardi, a letto, Luca disse:

"Certe volte sembra che tu non voglia credere che è possibile."

"Che è possibile cosa?"

"Che la nostra storia continui."

Maurizio sospirò.

"Non è che non voglio crederci. È che non lo sappiamo, sarà quello che sarà. Adesso dormi, basta parlare."

Si sporse verso il comodino e prese la sua scatolina con i tappi per le orecchie. Luca pensò: ogni volta che un bambino dice: "Non credo alle fate", da qualche parte una fata muore.

Quando Luca deve uscire per incontrare qualcuno fa uno sforzo per prendere una maglietta pulita, non si guarda allo specchio, non si pettina ed esce. Ricorda bene come era prima uscire, e farsi bello per lui bello, ricorda come era dolce sentirsi potente, capace di attirare la sua attenzione, essere un bambino, un Eros con il cazzo dritto. Luca pensa: mi adoravo, quando lui mi amava. Adesso non ha la forza di guardarsi allo specchio, si odia per non essere stato abbastanza bello da trattenere Maurizio accanto a lui. Pensa: se avessi le forme di un bel corpo virile, sottili i miei sospiri farebbero eco al tuo orecchio. Si guarda nello specchio e non vuole più essere quello che è.

"Tu cosa ne pensi Luca? Possiamo farcela a scrivere tutto il progetto per la fine dell'anno? Ce la facciamo?"

Torna. Torna, amore mio, torna. Abbracciami, stringimi forte, chiudimi dentro il cuore, non farmi respirare.

In un locale brutto e affollato nella città di B., a gennaio, qualcuno ruba il cellulare di Luca. Dentro c'erano un centinaio di numeri di telefono. C'erano i vecchi messaggi di Maurizio. E nella memoria vocale c'era una registrazione.

Una notte che non riusciva a dormire, Luca lo registrò mentre russava lì nel letto, al suo fianco. Il mattino dopo, a colazione, gli fece sentire quei dieci secondi di versi, mentre lui affogava con il cucchiaio i cereali nel latte.

"Quanto sei stronzo," commentò Maurizio infastidito.

"Ma perché?"

"Sei stronzo e basta."

Luca cercò di spiegargli che invece era una cosa bella, che gli piaceva averlo che russava sul suo telefono. Poterlo sentire ogni volta che voleva, solo schiacciando un tasto. Ma con Maurizio era difficile spiegare, tutto era come usare le stesse parole per dire cose diverse. Come se ogni cosa corrispondesse ad altro.

Ogni tanto Luca sentiva quella registrazione, quando ancora erano insieme. Mentre era in strada, con il traffico della città intorno, la sentiva. Fermava la moto, girava la chiave per non essere disturbato dal rumore. Poi doveva premere forte il telefono contro l'orecchio destro, e sull'altro stringere la mano sinistra, per potere sentire solo lui, il suo respiro, la sua stanchezza, e chiedersi cosa stesse sognando, con la paura che non stesse sognando lui.

Adesso c'è qualcuno, un ladro, nella città di B., che ha in tasca il telefono con la voce di Maurizio registrata. La voce senza parole di quando dormiva con lui, di quando se ne stava nel suo letto, abbandonato, privo di coscienza, con la bocca leggermente aperta, e lo teneva sveglio.

Luca pensa che avrebbe dovuto capirlo allora. Se non riusciva a odiarlo perché lo teneva sveglio, perché non poteva leggere prima di dormire, perché non poteva neanche fumare, né abbracciarlo nel sonno. Se non riusciva a detestarlo nemmeno detestando il fatto di dormire con lui, doveva capire che gli stava facendo qualcosa da cui non sarebbe più tornato indietro.

Cristo abbia pietà di tutte le cose che dormono.

Luca sta tornando a casa, di sera, e mentre guida ricorda il quadro di una pittrice che gli piace molto. Nel quadro, un autoritratto, la pittrice guarda dritto davanti a sé. Ha dei fiori sul capo, rose e margherite, gli sembra di ricordare, comunque sono petali chiari, e anche rossi, e foglie verdi. L'acconciatura di una sposa, regale, e però povera. Dalla testa, dai suoi capelli neri, partono dei fili irregolari, come ragnatele, o meglio come tracce su un vetro incrinato, fili che si diramano fino ai margini estremi del dipinto. Sotto il viso legato ai fili come una marionetta, quasi a chiudere il collo e a coprire completamente il petto, c'è una veste chiara, drappeggiata, che sembra nascondere tutto al mondo. Sulla fronte della donna, appena sopra gli occhi che guardano chi la osserva con una sicurezza rassegnata, su fino all'attaccatura dei capelli, è disegnato il ritratto dell'uomo che la donna ama. Un viso d'uomo dall'aria tranquilla e rilassata. L'Inconsapevolmente Amato. Inconsapevole perché, anche se sa di essere amato, non sa di *quale amore* sia amato, non conosce l'abbraccio asfittico dell'ossessione, non sa della morsa nella pancia, non vede la ferita, conosce solo la piacevolezza e l'appagamento del desiderio. È quello il vero volto dell'amore, la presenza dell'altro portata nascostamente dentro, e sulla fronte invece come un'effigie, come uno stendardo, una bandiera, un avviso terribile che dice a tutti: guardate, è qui, è sempre con me, sul mio corpo, inscritto nella mia pelle, vivo nella mia testa, nei miei pensieri, il suo amore è ciò di cui ho bisogno per conoscere il mio stesso nome, io sono il mio amore e il mio amore è mio, e non possiamo essere separati, siamo come le dita di una stessa mano, nella sua metà la mia metà riunisco, io sono per il mio diletto e il mio diletto è per me, senza il mio amore io non esisto, e se potessi spaccarmi la testa in due come un frutto, dentro scoprireste fra i tessuti sanguinanti lui, e ancora lui e sempre lui, la sua figura chiusa dentro un'altra come una bambola russa, venite pure a vedere, dentro di me non c'è altro, c'è solo il mio amore, c'è Maurizio en mi pensamiento.

"Pensi che stiamo andando da qualche parte, io e te?"

"Maurizio, credo di sì. Però non ci penso neanche tanto…"

"Sì, però non lo so… Ho paura, anche…"

"Di cosa?"

"Di tutto… soprattutto del fatto che tu potresti lasciarmi. E poi ho paura di non riuscire ad amarti quanto vorrei."

Continuarono a camminare in silenzio. Era ottobre, e Luca pensava: verrà il giorno che mi amerai e le fontane si diranno storie del tuo amore. Il giorno che mi amerai gli uccelli avranno la voce più dolce, e non esisterà più il dolore.

Stanotte, Luca lo fa di nuovo. Prima di tornare a casa, va davanti a quel ristorante dove a luglio lo ha incontrato per la prima volta. Si mette lì, sul marciapiede, davanti alla saracinesca chiusa, più o meno alla stessa altezza dove ricorda che c'era il loro tavolo. Fuma una sigaretta, senza riuscire a decidere cosa preferirebbe, se vorrebbe davvero non averlo mai incontrato, si chiede se la sua vita sarebbe stata migliore senza Maurizio. Tutti questi mesi di niente gli sarebbero stati risparmiati. Si siede sul marciapiede dove si sono conosciuti per la prima volta e non vuole più andare via. Tutti gli uccelli che volavano nel cielo estivo, quando il giorno era giovane, e il nostro amore era grande. Pensa: pareva un candido agnello che protezione chiedeva col belare. Pareva un candido agnello e si è mangiato il mio cuore.

Brandenn Bremmer aveva un quoziente d'intelligenza di 178, a cinque anni. Brandenn Bremmer aveva imparato l'alfabeto a un anno e mezzo, a tre anni suonava il pianoforte, a sei anni si era iscritto al liceo, a dieci anni andava all'università. Dicono che fosse simpatico, e che socializzasse molto facilmente. Aveva le lentiggini, e una faccia allegra. Gli piaceva Harry Potter. Nella foto per il diploma, a dieci anni, è nascosto dal leggio, troppo alto per lui, dietro il quale sta pronunciando il suo discorso. Si vedono solo gli occhi. Pare che i genitori volessero per lui un percorso scolastico normale, ma non era stato possibile. Gli psicologi sostenevano sarebbe stato dannoso. Brandenn studiava in casa, con degli insegnanti privati, e in una settimana imparava quello che un ragazzo normale avrebbe imparato in sei mesi.

A quattordici anni Brandenn Bremmer ha preso una pistola e si è sparato alla tempia. Era nella casa dei genitori a Venango, Nebraska. Stava lavorando al suo secondo cd. Il primo aveva riscosso grande successo.

"Che vuol dire, hai paura che ti ami troppo?"

"Quello che ho detto. Certe volte mi spaventi. È troppo."

"Non pensavo ci fosse una misura nell'amore."

"Invece c'è," rispose Maurizio.

"E io l'ho superata… Chiedo perdono. Abbastanza per me è sempre troppo poco," ribatté Luca cercando di essere ironico. "Adesso Mau, vogliamo scegliere il film, prima che si faccia troppo tardi?"

Maurizio sembrò rassicurato. Luca ne era felice. Certe volte Maurizio gli sembrava un'automobilina da luna park, pronta a lanciarsi in un qualsiasi scontro.

E poi, riuscire a non parlare ancora, cercando invece dove andare sulle colonne di un giornale, e intanto Luca si chiedeva come fosse possibile, come cazzo fosse possibile che Maurizio non si accorgesse di quanto stesse male, di come lui facesse uno sforzo perfino per leggere correttamente i titoli, di come ingoiasse il ferro arrugginito che gli saliva nella bocca, e come sorridendo dicesse "Ecco, vedi, c'è anche in originale, andiamo a vedere questo, dài," mentre invece voleva soltanto essere abbracciato e tenuto stretto.

E ancora, uscire cercando di non ricordare il brutto discorso, sopportare, allontanare, cancellare. Se l'eccesso nel fisico viene considerato una forza, perché non deve essere considerato così anche l'eccesso dei sentimenti? Perché devo sentirmi in colpa per quello che provo?

Nella sala, mentre si spegnevano le luci, Luca osservò il profilo di Maurizio e pensò: vedessi quale tenerezza ho da darti, sarei capace di creare un mondo e poi regalartelo.

Luca si guarda riflesso nel vetro della finestra mentre cerca di scrivere. Pensa di assomigliare a una scimmia. È in mutande, ha le gambe tirate sulla sedia, i piedi troppo lunghi che sporgono oltre il bordo. Le braccia, ora che sono ferme, mentre rimane incantato a guardarsi nel riflesso del vetro, cadono verso l'esterno, debolmente appoggiate sulla tastiera, e come senza vita. Luca vede il suo naso troppo grosso, i denti all'infuori, con l'ombra del bianco che si intravede anche quando le labbra dovrebbero essere chiuse e nasconderla. Sono quasi tre mesi che vago con le basette a lutto e come potrei raderle?

Luca non si è mai sentito così brutto, neanche quando era un ragazzino di sedici anni, troppo basso, senza un pelo, che non cresceva mai. Non si è mai sentito così inadeguato al mondo, si guarda e ha quasi paura di muoversi, di fare ritornare alla vita quella scimmietta triste che sembra caduta per caso nel mondo degli uomini. Si guarda e pensa: questo sei tu, questo sei tu, perché mai dovrebbe volerti, non si può amare uno come te, forse è un miracolo il solo fatto che sia rimasto con te quattro mesi. Pensa che adesso sorridere, spezzare quella faccia specchiata che lo guarda potrebbe servire a qualcosa, ma non ce la fa. Ha paura, Luca, quando capisce che si è sentito bello solo nello specchio delle parole di Maurizio.

Luca va dallo stesso dentista di Maurizio. È una delle poche cose che ha ereditato da lui. Per il resto, per tutto il resto, è Maurizio ad avere conosciuto posti e negozi, ristoranti e bar, da Luca. Il dentista no, è il solo lascito che gli è rimasto. Avevano cominciato ad andarci nello stesso periodo, lanciandosi messaggi incrociati. Il dentista aveva suggerito a Luca di portare l'apparecchio per un anno, per correggere i denti. I suoi denti erano forse degli errori? Luca ci stava pensando su, ma resisteva. Maurizio aveva detto all'assistente, scherzando, che Luca aveva paura che lui non lo avrebbe baciato più. L'assistente aveva sorriso. Forse aveva capito solo in quel momento che stavano insieme.

Alla fine, Luca aveva deciso di mettere i ferri ai denti. Aveva pensato che sarebbe stato bello avere al fianco Maurizio mentre lo faceva, e tornare a casa e pensare di essere desiderato dal tuo compagno anche con la bocca piena di viti e fili. Poi, quando Maurizio è andato via, Luca si è sentito di nuovo smarrito. Ha deciso di non mettere l'apparecchio. Era inutile fingere che qualcosa fosse rimasto ancora in piedi. Inutile fingere di non avere bisogno di Maurizio anche per respirare. Ogni volta che entra nello studio medico, comunque, non può fare a meno di pensare a lui. Una volta, sbirciando sul computer in cerca di un orario per il suo appuntamento, ha visto il nome di Maurizio. Il medico e la sua assistente non lo nominano più. Devono avere saputo da Maurizio quello che è successo. Luca ogni volta cerca di andare da loro sorridente e tranquillo. Cerca di non soffrire. All'estrazione di un dente del giudizio ne approfitta per piangere. Il dentista si scusa, Luca scuote la testa come a dire non è niente, è solo il dolore del dente. Ma sta piangendo perché ha improvvisamente pensato ai ferri, al trapano, alle pinze che gli entrano in bocca. Pensa che continuando ad andare lì, magari, qualche volta, gli saranno capitate nella bocca le stesse pinze che sono state nella bocca di Maurizio, e che nonostante tutte le sterilizzazioni, i lavaggi, le igienizzazioni e i prodotti chimici, nonostante tutto, una piccolissima particella della saliva di Maurizio sarà finita comunque a unirsi con la sua. Pensa a quando si baciavano, pensa che non succederà più, e con la luce fissa negli occhi ora vorrebbe solo questo, non dovere fingere per dignità che vada sempre tutto bene.

La prima volta che dormirono insieme, Maurizio lo avvertì con grande serietà che lui nel rapporto sessuale poteva svolgere solamente un ruolo. Luca non capiva le sue preoccupazioni; lui aveva sempre fatto quello che c'era da fare, non aveva mai sentito di dover interpretare una parte. Ma Maurizio insisteva, guarda, capiamoci bene, sono soltanto attivo. E diceva anche: ti avviso, non mi piace tanto prenderlo in bocca.

Qualche giorno dopo Luca doveva scoprire che con lui, invece, a Maurizio piaceva. Aveva chiesto spiegazioni. Era contento. Le parole di Maurizio erano state:

"...Non so perché... con te è diverso, sarà perché il tuo è bello, quello del mio ex fidanzato era troppo magro, non mi piaceva."

E poi Maurizio, una notte di tre mesi più tardi, era a quattro zampe sul letto di Luca, davanti allo specchio, mentre Luca da dietro gli appoggiava la punta del cazzo al buco del culo e lui lo lasciava fare. Entrò già per metà, prima che Luca, in uno scatto di ragionevolezza, facesse una corsa in bagno a prendere un preservativo. Se lo infilò, tornò sul letto dove Maurizio lo stava aspettando e finalmente, mentre gli accarezzava piano i fianchi, glielo spinse tutto dentro.

Maurizio diceva di avere paura, ma gli piaceva, scoprì che gli piaceva. Luca era emozionato, quella era la prima volta di Maurizio, stava prendendo la sua verginità. In quella notte di novembre Maurizio aveva quarantun anni, quasi quarantadue, era omosessuale praticamente da sempre, aveva avuto una relazione di dieci anni con un ragazzo e aveva detto a Luca che mai prima di lui gli sarebbe saltato in mente di farsi scopare.

Luca continuò a prenderlo da dietro, lo fece muovere, gli poggiò le mani sui fianchi. Maurizio gli chiese di fare piano, e lui fece attenzione. Ma comunque spinse, anche se lentamente, perché voleva che lo sentisse fino in fondo. Gli prese la mano destra, gliela portò tra le gambe. Gli fece sentire, dietro le palle, il peso delle sue. Maurizio si accorse di avere Luca tutto dentro. Ritrasse la mano di scatto, sussurrò piano che gli faceva impressione. Poi ansimò, mentre Luca riprese a muoversi. Sulla pelle della schiena di Maurizio, Luca sentiva un odore scuro e pungente. Gli prese la nuca con la mano destra. Maurizio gli disse che stava per venire, e Luca venne insieme a lui, gonfiando il preservativo nel suo culo.

Dopo, Maurizio lo abbracciò con forza, gli disse di essere contento. Luca lo vide tutto rosso ed emozionato. Maurizio disse che era stato 'forte, proprio forte'.

Luca gli chiese se gli avesse fatto male.

No.

Maurizio gli chiese se sarebbe uscito del sangue e Luca rispose di no. Al mattino gli avrebbe detto che sì, invece un po' di sangue era poi uscito.

Quando il giorno dopo Maurizio andò via, Luca trovò un biglietto accanto al computer che diceva: 'Ventisei novembre. Stamattina mi sento un po' strano, non so cos'è, sarà l'autunno'. Sorrise. Era felice. Pensò: ti ho insegnato come trema la pelle quando nasce l'amore.

Due settimane più tardi Maurizio lasciò Luca, dicendogli che quando lo guardava non lo desiderava più.

Luca va in discoteca insieme agli amici. Si dice che può farcela ancora, e infatti beve due birre, e balla, perfino. A tratti si stupisce di riuscire ancora a tenere il tempo mentre si muove, si meraviglia di ricordare le canzoni, di ritrovarle intatte, come se le note, e soprattutto le parole, dopo tutto quello che è successo dovessero anche loro, per forza, essere cambiate.

Il mondo infatti è cambiato davvero, quel posto, e tutti i posti come quello, sono diversi. La domenica si balla, la desolazione arriva il lunedì. Luca si guarda intorno. Sono tutti ragazzi feriti, li vede, ora, vede il sangue rappreso che macchia le magliette aderenti, le ginocchia che vacillano dove è stato assestato con precisione scientifica il colpo della delusione, le labbra che tremano per l'angoscia di non farcela più. Vede il dolore di tutti gli incontri sbagliati, la somma di tutte le relazioni a perdere, la fatica di andare avanti ogni volta con il cuore pesante e la schiena più stanca. Vede nei corpi degli altri le lacerazioni, le cicatrici, gli stomaci contratti dal vomito del mattino, gli occhi rossi e svuotati dal pianto e dalla rabbia, il respiro senza più vita e quasi acido. Vede le macchie sulla pelle, per quell'amore non ricambiato che brucia e corrode. Le viscere che vengono via dalla pancia, da una ferita che qualcuno ha voluto scavare con malvagità, la lama che ha tagliato e poi ha spinto le interiora verso fuori, perché tutti potessero vederle. Dietro i muscoli scolpiti, dietro il taglio di capelli appena fatto, dietro l'abbronzatura perfetta, scorge tutta la disperazione degli uomini della sua età. E con pietà vede tutto quello che hanno già subito i ragazzi più giovani, lo sforzo incredulo dei sorrisi più bianchi e più fragili, che si tengono fermi, mentre gli occhi si muovono, si muovono sempre, inquieti, in cerca di qualcosa, come se in fondo, laggiù, quasi non visto, chissà cosa mai potesse passare di bello.

Una voce continua a cantare, a chiedersi cosa farebbe se fosse una ragazza davvero ricca. Luca ha paura di abbassare lo sguardo sul suo stesso corpo, paura di vedere quale parte gli manchi, quale braccio, quale mano, quale occhio, quale lacerto della spalla. Ha paura di guardarsi riflesso in uno degli specchi dove rimbalzano veloci le luci colorate, e scoprire quale pezzo della sua carne Maurizio abbia portato via andandosene.

Quando erano ritornati per la seconda volta insieme nella città di M., era già ottobre, e Luca era felice. Si ritrovavano insieme in una città che era già parte della loro storia, che li aveva visti insieme. In quella stessa città, due mesi prima, avevano fatto l'amore per la prima volta. In quella stessa città avevano camminato e visto film, e fatto il bagno in una piscina comunale molto affollata. Ora, ritornati lì, tutto sembrava diverso. In quella città, dove Maurizio aveva vissuto per anni, incontrarono il vecchio amore di Maurizio, il fidanzato che lo aveva lasciato e lo aveva fatto soffrire. Stefano. Era in discoteca insieme al suo nuovo compagno. Sorridendo felice, Maurizio aveva lasciato Luca per qualche minuto da solo ed era andato a parlare con Stefano. Luca era rimasto a ballare, spiando con la coda dell'occhio quello che succedeva. Poi, finalmente, Maurizio era ritornato.

"Cos'è successo?" gli aveva chiesto Luca.

"Niente..." Un sorriso. "Volevo solo dirglielo... volevo dirgli che anche io mi sono fidanzato... che ho trovato una persona..."

"Cioè la persona sono io..."

"Certo."

"E perché avevi bisogno di dirglielo…?"

"Perché… dài, cerca di capire… Tu sei la mia rivincita, non lo vedi?"

Luca non disse nulla. Quello che avrebbe voluto dire era: io non voglio essere la rivincita di niente, io voglio essere solo io, e se pensi di avere bisogno di una rivincita vuol dire che tutto il passato è qualcosa che non hai veramente superato, è ancora dentro di te, non se ne è andato, Maurizio. Perché non posso essere solo io? Io e basta, non un peso da mettere sulla bilancia per compensare vecchi dolori, non una riscossa, una vendetta, una cambiale che viene pagata, solo io, solo noi, perché adesso non mi abbracci stretto e non mi porti via di qui, non voglio essere messo in mostra come un premio, voglio essere solo con te, portami via, coprimi con un lenzuolo bianco, ti prego portami via.

Invece Luca non disse nulla.

Più tardi, quando rientrarono in albergo e si misero a letto, Maurizio si infilò i tappi nelle orecchie, diede un veloce bacio sulle labbra a Luca, e si girò dall'altro lato. Aveva un sorriso soddisfatto, o così sembrò a Luca.

Luca non riuscì a dormire. Si alzò dal letto. Uscì dalla stanza. Fumò qualche sigaretta seduto in mutande sulle scale dell'albergo. Due ragazze uscivano nella notte e lo superarono sulle scale senza dire una parola. Luca pensava: saremo senza la luna, canteremo una canzone diversa, e ci saranno lacrime da versare. Ma finché ci sono la musica e il chiaro di luna, e l'amore, e il romanticismo, dobbiamo sentire la musica e ballare.

Luca si accorge di essere rimasto l'unico custode dei luoghi del loro amore. L'unico che ancora ogni giorno attraversa la città e fa l'inventario dei posti che li hanno visti insieme. Il solo a presidiare quegli spazi. Quando non ne può proprio più, quando sente che la testa si fa troppo pesante, invece di andare a dormire, parte per uno di questi pellegrinaggi. Va sul ponte dove hanno litigato una notte, o trova il modo di fermarsi all'angolo sul lungofiume dove andava sempre a prendere Maurizio. Rimane lì, chiude gli occhi, e si immagina di sentirlo che sale sulla moto dietro di lui, il peso sulla schiena, le mani sui fianchi, e la leggera spinta sul bacino, come a dire: 'vai'. Entra in un bar e cerca di sedersi al posto dove era stato con lui, quello in cui Maurizio gli ha preso la mano e se l'è portata al volto, consapevole del gesto esibito, volendo mostrare a tutti il loro amore. Se tu fossi un mio fratello, allattato al seno di mia madre! Trovandoti fuori potrei baciarti, e nessuno potrebbe disprezzarmi.

Ritorna alla stazione, davanti a quel binario, il numero sedici, dove lo ha aspettato una certa sera d'estate, dietro una colonna, e reggeva tra le braccia un mazzo di gerbere che gli gocciolava sul petto e gli macchiava la maglietta di una striscia rossa.

Va al lago del parco, mentre sta facendo buio. Supera gli scivoli e le altalene dove gli adolescenti urlano e si danno spintoni per mascherare la goffaggine dell'attrazione, cerca quel posto sulla riva dove una domenica si sono fermati con le biciclette. Pensa: se tutti gli anni i fiori rinascono, perché il mio amore non torna? Si ricorda che Maurizio aveva portato del pane un po' secco e del pecorino, e che parlava e gli infilava in bocca le schegge di formaggio per impedirgli di rispondere. Si ricorda che avevano diviso un'arancia un po' secca. Erano stati lì, sdraiati sull'erba, e si era avvicinata a loro una specie di papera gigantesca che somigliava a un tacchino e li guardava fisso, e avevano riso di questo.

Adesso Luca si rannicchia sulla riva, guarda l'acqua. D'improvviso nel parco a ogni verde qualcosa è stato tolto. Luca spera che Maurizio possa passare di lì, chissà per quale caso, chissà perché, forse proprio richiamato dalla sua sofferenza, da quel dolore, da quell'amore che non la vuole sapere di finire. Rimane lì rannicchiato, con l'erba umida sotto i pantaloni, e vorrebbe piangere ma non ce la fa. Si toglie da una tasca una moneta e la lancia nell'acqua, sperando che Maurizio ritorni. La moneta fa un rimbalzo in più, su un sasso, e poi affonda quasi senza fare rumore. Intorno a Luca il parco si fa sempre più pallido, e, mentre lui se ne sta rannicchiato, finisce per spegnersi del tutto.

Partirono insieme il primo fine settimana di dicembre, per festeggiare il compleanno di Maurizio. Andarono alle terme, per riposarsi e stare insieme. Il viaggio di andata, in auto, fu silenzioso. Maurizio sembrava teso, parlava, poco, di questioni di lavoro. Poi improvvisamente abbracciava Luca e lo teneva stretto senza più dire una parola. Arrivarono in ritardo la notte del giovedì. A mezzanotte, quando erano ormai nel giorno di Maurizio, Luca gli fece trovare i regali nascosti nella stanza dell'albergo. Dei calzini. Delle mutande colorate. Un cd doppio di Seal. Un libro: le *Lezioni americane* di Calvino, perché gli aveva parlato della leggerezza. E una macchina fotografica digitale nascosta sotto il letto. Maurizio vagò per la stanza recuperando i regali dai nascondigli, uno per volta. Poi fecero l'amore. Maurizio lo guardava negli occhi, mentre si muoveva, e sorrideva felice.

In quei giorni, camminando per i corridoi delle terme, Luca osservò spesso la schiena di Maurizio chiusa nell'accappatoio bianco, e i suoi polpacci pallidi che sbucavano sotto l'orlo. Da dietro, lo vide già vecchio, nonostante i suoi quarantadue anni appena compiuti. Forse era la curva delle spalle, o il passo un po' trascinato, o i capelli che si facevano già più radi. E la ragnatela di rughe intorno agli occhi, che quando sorrideva si vedevano di più e sembravano più belle. Pensò che da vecchio lo avrebbe amato con tutto se stesso, pensò che sarebbero finite tutte le gelosie e le paure, svanita tutta quell'ansia di essere in tanti posti contemporaneamente, di non perdersi niente, e che sarebbero stati solo giorni felici, tutti e due contenti di ritrovarsi e di parlare, contenti di sapere che uno era nella vita dell'altro, e che avevano resistito a tutte le prove. Pensò che il postino avrebbe suonato alla porta e loro non avrebbero aperto. Pensò anche che in realtà Maurizio per lui non sarebbe mai stato vecchio. Per me non potrai mai essere vecchio, perché come ti ho visto non ti dimenticherò più. Sarai sempre verde come quando ti ho conosciuto.

Una notte fecero il bagno da soli nella vasca di acqua termale, all'aperto. Maurizio galleggiava a pancia in su, e Luca lo teneva, appoggiandogli le mani sotto la schiena. Maurizio aveva gli occhi chiusi mentre Luca lo faceva ruotare piano nell'acqua opaca, e intanto Luca pensava: mio amore, mio dolce, grande, mio meraviglioso amore, io ti proteggerò da tutte le infelicità del mondo, e tu non piangerai mai più, sarò la cura da tutte le tue malattie.

Al ritorno in città di nuovo scese il silenzio fra di loro. Luca cantava le canzoni che venivano fuori dallo stereo mentre guidava. Invece avrebbe voluto accostare sul ciglio della strada, stringere la mano di Maurizio e dirgli: io ti amo, perché non mi permetti di amarti? Ma non sogni anche tu di prendere e volare via per farti incenerire da una luce remota?

Pare che le lacrime siano nate nel corso dell'evoluzione della specie, e precisamente nel momento in cui i pesci lasciarono le profondità del mare, e comparvero sulla terra i primi anfibi, che avevano la necessità di mantenere sempre umido il cristallino dell'occhio, non trovandosi più costantemente in acqua. Nacquero così le lacrime basali. Ciascuno di noi ne sviluppa quindici centimetri cubici all'anno. Esse non si trasformano mai in goccia vera e propria, e servono in sostanza a tenere umido l'occhio.

Esistono poi le cosiddette lacrime riflesse, quelle che sgorgano in seguito a un fenomeno esterno, per esempio quando un granello di polvere entra nell'occhio, o quando si affetta una cipolla.

E infine le lacrime emotive, dette anche psicologiche, che dipendono da fattori appunto emotivi.

Nelle lacrime si ritrovano circa centotrenta sostanze diverse. Le lacrime basali e riflesse differiscono completamente per composizione da quelle emotive. Le lacrime emotive contengono infatti più proteine, più potassio e manganese. In particolare il manganese è presente per il

30 per cento in più. Dal momento che il manganese si trova in abbondanza nel cervello dei depressi, forse il pianto ha la funzione di alleviare la depressione, poiché consente di espellere il manganese in eccesso. Inoltre nelle lacrime versate per emozione è presente in abbondanza l'ormone adrenocorticotropo, che è un ormone indicatore dello stress.

Nessuno sa ancora se, tra le lacrime emozionali, le lacrime versate per amore abbiano una composizione differente da quella delle lacrime versate, per esempio, per la morte di una persona cara, o per rabbia, o per commozione mentre si legge un libro o si vede un film.

E nessuno a oggi può dire veramente a cosa servano le lacrime d'amore.

Luca pensa: non voglio più questo amore. Non voglio più svegliarmi la notte di colpo, sudato, non voglio più girare per la città senza sapere come sono arrivato nel posto in cui riapro gli occhi, non voglio più trovarmi di fronte agli altri senza sapere cosa stiano dicendo. Non lo voglio più, per favore. L'amore è vita che dura per sempre, ma io muoio. Ho pregato per averlo, è vero, ma non posso sostenerlo, non ce la faccio, è troppo per le mie spalle, mi fa male alle ossa, e forse, va bene, se è questo che volevate sentirmi dire, allora ecco lo dico, non ce la faccio a vivere, fatemi ritornare a dormire, apritemi la pancia e portatevi via le viscere che mi bruciano, svuotatemi come una busta e restituitemi la pace. Portatevi via questo amore e al suo posto datemelo, questo odio grigio come un sacco.

Mancavano ancora quattro giorni alla fine del loro amore, ma Luca non lo sapeva, e aveva messo una camicia nuova per andare a prendere Maurizio al lavoro. Aveva insistito lui: "Dài, vieni, io sono bloccato alla mostra fino alle dieci, tu passi e andiamo a mangiare qualcosa."

Lo aveva fatto, e Maurizio era di pessimo umore. Il lavoro non era andato bene. Luca lo aveva aspettato sulla strada mentre Maurizio, all'interno di quello che una volta era stato un acquario in epoca romana, parlava duro ai suoi collaboratori. Dopo, a cena, Maurizio aveva raccontato soprattutto del lavoro. Delle sue delusioni, delle sue paure, del fatto che non riusciva a trovarsi bene in quella città.

"Forse dovrei ritornare a vivere all'estero," aveva detto.

"Maurizio, pensaci con tranquillità… Se pensi di essere più felice fuori, devi andare." Luca lo disse sinceramente, anche se con dolore. Mi metterò solitario sulle rive del gran mondo e penserò.

Maurizio sorrise, e poi riprese a mangiare il suo pesce.

Più tardi, a notte fonda, si erano fermati, affiancati, davanti allo stesso semaforo. Facevano un pezzo di strada

insieme prima di tornare ciascuno al proprio apparta-
mento. A Luca era venuta in mente una storia, voleva
dirla a Maurizio.

"Sai, c'è una mia amica, si chiama Anna... lei ha vissuto a lungo fuori, e all'inizio non sopportava di stare qui,
voleva ripartire. Poi, dopo un po', è cambiato tutto. Era
talmente esaltata che la chiamavano la principessa del
quartiere."

"E che era successo?"

"Niente, si era abituata. E si era innamorata di un
ragazzo."

Maurizio sorrise amaro.

"Allora forse dovrei trovare anch'io un ragazzo di cui
innamorarmi."

Il semaforo passò al verde prima che Luca avesse il
tempo di realizzare che le gambe avevano cominciato a
tremargli. Maurizio partì subito. Luca rimase qualche
secondo, ancora sofferente per il colpo, poi mise in moto.
Si diceva: vàttene, vattene ora, lascialo andare per la sua
strada, non restare a farti piantare le spine nel cuore. Non
seguirlo. Il giorno che ti amerà non arriverà mai. Non è
quello che pensavi che fosse.

E intanto era già sulla strada, dietro di lui, il faro che
inseguiva la sua scia, il motorino argentato con la catena
blu messa di traverso sulla targa. Mancavano quattro giorni alla fine, e Luca non lo sapeva. Pensava solo: quelli che
hanno il potere di ferire e non lo fanno ereditano a ragione
le grazie del cielo. Sono i signori e i padroni dei loro volti,
tutti gli altri possono solo sorvegliare la loro eccellenza.

Quelli che hanno il potere di ferire.

E non lo fanno.

Luca non riesce ad affrontare il traffico della città. Ogni motorino che passa potrebbe essere per lui quello che porta Maurizio, e i suoi occhi gli corrono dietro per un pezzo prima di scoprire che non è lui. Non ha mai saputo distinguere tra una marca e l'altra, tra un modello e un altro, e ogni ombra argentata che passa, ogni volto nascosto dietro un parabrezza potrebbe essere per lui quello di Maurizio. Vede uno scooter che ha la catena blu appesa dietro, di traverso sulla targa, a nasconderla per metà come la portava Maurizio, e corre veloce verso l'incrocio, fino al semaforo, per accertarsi se quell'ombra sia o non sia lui, e nella pancia sente nello stesso momento la paura e la voglia di incontrarlo. Ma anche questa volta, come le altre, non è Maurizio alla guida. Somiglia il mio diletto a un capriolo, o a un cerbiatto. Il semaforo scatta, tutti ripartono, e Luca resta lì a domandarsi dove sia Maurizio, e dove stia portando in giro il suo cuore.

Era il pomeriggio dell'undici dicembre. Un sabato. Stavano mangiando insieme in un bar. Facevano programmi per le prossime vacanze di Natale. Luca mostrò a Maurizio gli occhiali da sole che aveva comprato, Maurizio fece una faccia strana e Luca non riuscì a capire se gli piacessero o no. Una volta usciti, Maurizio voleva fare due passi prima che Luca andasse al lavoro. Luca gli disse, perché invece non andiamo a casa tua e ce ne stiamo un po' abbracciati? Allora successe qualcosa di strano. Maurizio guardò Luca, senza dire niente, poi gli passò un braccio sulla spalla e lo strinse forte, tirando la testa di lui verso il suo petto. Sembrava un abbraccio, ma anche una presa sportiva, sembrava avessero segnato insieme un goal, sembrava lo volesse stringere con forza prima di lasciarlo andare, bruscamente e definitivamente. Maurizio disse:

"Luca, io penso che fra noi le cose non vadano... penso che sia meglio finire qui..." Continuò a parlare, ma Luca non sentiva più. Riuscì a interromperlo dicendo:

"Mau, ma mi stai lasciando così, in mezzo alla strada? Per favore... almeno portami a casa tua..."

Salirono a casa, e lì Maurizio portò a termine il suo discorso. Disse che non se la sentiva più di continuare, che quello che stava vivendo non era quello che voleva, e disse altre cose che Luca non sarebbe più riuscito a ricordare. Poche cose comunque, perché Luca non riusciva già più a restare lì, aveva paura di piangere. Dopo poco si alzò dal divano sul quale una sera avevano fatto l'amore, andò verso la porta accompagnato da Maurizio. Mentre usciva Luca disse:

"Allora non vedrò più questa casa?"

Maurizio rispose:

"Ti prego, non fare così."

Appena sceso, Luca si comprò delle sigarette e riprese a fumare. Erano sedici giorni che non toccava una sigaretta, perché Maurizio voleva che smettesse. Mentre andava al lavoro, meno di un'ora dopo, ricevette un messaggio da Maurizio. Diceva: 'Sei la persona con cui sono stato più felice, quella che è più vicina al mio cuore'. Luca andò alla riunione di lavoro, e fece per la prima volta un'esperienza che avrebbe segnato tutti i giorni successivi, quella di stare in mezzo alla gente senza sentirla, senza afferrare le parole, come se si risvegliasse in continuazione sulla poltrona di un cinema, e scoprisse che durante la proiezione aveva perso sempre le scene più importanti. Dopo due ore, disse di non sentirsi bene e ritornò a casa. Incontrò le guardie che facevano la ronda. Avete visto l'amato del mio cuore?

Dormì. Non mangiò. Si svegliò di notte chiedendosi che cosa gli avessero strappato dal petto. Capì che essere lasciati significa più di tutto essere derubati del futuro.

Il mattino dopo, Maurizio lo chiamò. Gli chiese di vederlo. Luca acconsentì a che lui venisse a casa.

Maurizio si presentò un po' prima dell'ora di pranzo. Luca non poté fare a meno di pensare a tutte le volte che avevano mangiato insieme lì, a tutte le volte che era stato felice di cucinare per lui. Maurizio si mise seduto sul divano, si tolse le scarpe. Cominciò a raccontargli di quanto fosse stato bene con lui, di quanto Luca fosse meraviglioso, di come avesse capito, solo ora e grazie a lui, cosa significava avere un rapporto completo e maturo.

"È vero, sono stato quasi dieci anni con Stefano. Ma riguardando indietro adesso mi sembra che con lui tutto quello che ho fatto è stato parlare di Cher."

Luca lo guardava incredulo.

"Tu mi stai lasciando."

"Sì."

"E perché mi dici queste cose?" chiese.

"Perché sono la verità."

"Ma che ci devo fare io con queste cose che mi dici? Credi che debbano consolarmi, che io possa pensare: è vero mi lascia, però crede che sono una persona fantastica?"

"Luca, il problema è che io a volte ti guardo e non desidero baciarti, non desidero stare con te. E non posso continuare."

"Ma hai fatto con me cose che non avevi mai fatto prima, mi hai detto…"

"Sì, ho fatto e ho detto. Ma adesso non è più così."

"Tutto questo succedeva due settimane fa. Solo due settimane fa. Non è possibile."

"Le cose sono cambiate. Ma non vedevi tutti i dubbi che avevo, tutti i discorsi che facevo…? Ti ho chiesto anche dei giorni per pensare…"

"Ma sei ritornato tu da me. Non te l'ho chiesto io."

"Sì, lo so. Ho sbagliato."

"Mi dispiace Maurizio… non ce la faccio… Non ce la faccio a sentirti dire che è sbagliato stare con me…"

"Vieni qui… abbracciami… Voglio che tu senta quanto ti voglio bene."

Luca andò ad abbracciarlo, sentì il calore delle sue braccia. Quanto è meravigliosa la vita, ora che sei nel mondo. Sollevò appena la testa e gli mise piano un bacio sull'angolo delle labbra.

"No, no," disse Maurizio sottraendosi bruscamente.

Luca pensò: perché? Perché non mi lasci stare nell'amorosa quiete delle tue braccia?

"Per favore allora… vai via…"

Maurizio si rialzò dal divano.

"Spero che rimanga qualcosa tra di noi. Spero di vederti ancora…"

"Maurizio io non posso vederti senza desiderarti. Non posso neanche sopportare di immaginarti insieme a un altro, di incrociare per caso te e il tuo nuovo ragazzo."

"Ma io non avrò altri ragazzi. Mi conosci, lo sai… Finirò con qualche ballerino, un attore di seconda che mi obbligherà a vedere uno spettacolo in cui recita male, uno che compare in tivù a fare il valletto la domenica pomeriggio."

"Ma come fai? Come puoi dire delle cose così stronze delle persone con cui starai insieme?"

"Voglio dire che non saranno mai come te."

"E allora perché te ne vai?"

Maurizio non rispose. Disse:

"Almeno tu in questa città avrai gli amici che ti consoleranno. Io non ho nessuno."

"Sei tu che scegli di andartene. Adesso vuoi anche farmi pena? Vuol dire che ti consoleranno i ragazzi più giovani, quelli che vuoi e che desideri più di me."

"Non essere cattivo."

Furono le ultime parole. Poi uscì dalla porta.

Luca si mise seduto sul divano. Gli sembrava di non capire più nulla. Cosa era successo. Perché era successo. Chi era Maurizio. Cosa volevano dire le sue parole. Si guardò i polpastrelli della mano destra, li sfregò insieme. Aveva l'impressione che fra le dita gli fosse rimasto qualcosa, ma non sapeva se ci fosse altro, a parte una manciata di parole inutili come sassi e luoghi comuni.

Pensò: te ne vai. Il mio cuore è nel tuo petto.

"Mi diceva che ero vecchio. Che non ero abbastanza giovane per lui."

"Luca, ma aveva sei anni più di te."

"E che c'entra? Gli piacciono i ragazzi più giovani. Io non lo ero abbastanza. Mi ha fatto sentire vecchio. Io non mi ero mai sentito vecchio, prima."

"Perché?"

"Perché cosa?"

"Perché gli dài tutto questo potere, anche adesso che se n'è andato?"

"Non lo so."

Luca cammina con un amico. Guarda i negozi lungo la strada. È sera, e tutti tirano giù le saracinesche mentre lui passa, come si fa quando avanza un corteo funebre.

Una notte di fine marzo Luca va a ballare in una discoteca insieme a una sua amica. Sa che quello è uno dei posti in cui solitamente va anche Maurizio, spera di non incontrarlo. Invece è lì. Si vedono al bar, Maurizio saluta prima l'amica di Luca, che si è tagliata i capelli, e le passa divertito la mano tra le ciocche bionde.

"Che belli che sono… posso toccarli?"

Poi, con grande indifferenza, dà un bacio sulla guancia a Luca. Luca scambia un saluto con un amico di Maurizio. Emanuele. Ricorda che Maurizio gli aveva detto: meno male che ci sei tu nella mia vita, altrimenti dovrei passare le domeniche pomeriggio a vedere i film di Barbra Streisand con Emanuele e gli altri, lo sai che lo fanno sempre? Lo sai che a Carnevale si vestono tutti da donna e dopo Natale si vedono per scambiarsi i regali più brutti che hanno ricevuto? Io non sono così. Meno male che ci sei tu. Emanuele mentre saluta Luca abbassa gli occhi. Sembra dispiaciuto, e imbarazzato. Luca pensa: tutti si fanno tristi per la fine del nostro amore, il mondo piange, gli specchi diventano opachi, solo per te sembra che non sia cambiato niente. Voltati, guardami, renditi conto di cosa stai facendo di me.

Più tardi, Luca vede che nel gruppo di Maurizio c'è un ragazzo che non conosce. È bruno, non troppo alto, né bello, né brutto, ha più o meno l'età di Luca. Vede Maurizio che gli si avvicina da dietro, balla abbracciato a lui, gli dà un bacio veloce sul collo.

Quell'immagine lo ferisce rapida, si imprime nella sua testa, e sa già che non se ne libererà più. Tu ridi, ti diverti, conosci altre persone, fai sesso, invecchi, tu sei vivo senza di me.

Cerca di resistere il più possibile. Cerca di vedere altro, altri baci, altra intimità, qualcosa con cui scontrarsi per ferirsi completamente, qualcosa con cui staccarsi per sempre dal suo amore. Non succede nient'altro. Solo quella sicurezza quando lo vede ridere: ride così perché sta con lui, ed è felice. Ti vedo passare, ti sento ridere, la mia illusione si fa a pezzi. Quelle cose che io volevo darti svaniscono nel buio.

Luca ritorna a casa, beve ancora davanti al frigorifero, prende qualcosa per dormire, si butta a letto, pensando a Maurizio e al ragazzo bruno che tornano a casa insieme. Quando si addormenta sogna. È nella casa di Maurizio, la rivede dopo quell'ultima volta, la ringhiera che affaccia sul cortile interno da cui arriva una musica, il tavolo grande, la cucina di acciaio in cui si specchiava nudo, e nel sogno cerca le tracce del suo passaggio in quella casa, il pupazzo a forma di asino che gli ha regalato, il sapone nel bagno, la sua fotografia che Maurizio aveva attaccato al frigorifero. Non c'è, non c'è più niente. Da quelle stanze lui non è mai passato. Sale le scale che portano al soppalco, dove c'è il materasso su cui hanno fatto l'amore tante volte, e la finestra che dà sulla fontana bianca appena restaurata che sembra un fantasma nella notte. È triste, è doloroso, è inutile. A un tratto sente entrare qualcuno dalla porta, si nasconde, ma sa che non può essere Maurizio, perché lui è fuori. Infatti è un gruppo di amici che Luca non conosce, e lui si nasconde dietro il divano per non farsi sorprendere. Resta un po' lì, agitato, mentre gli altri parlano di cose che lui non sa, e a volte scambiano qualche parola in inglese. Luca ha vergogna, ma alla fine decide di uscire dal suo nascondiglio, e di farsi vedere. In fondo non deve dare troppe spiegazioni, dice soltanto:

"Scusate, sono un amico di Maurizio, lo stavo cercando."

Una ragazza, che lui non conosce, dice:

"Ciao Luca. Maurizio non c'è più."

Luca si sveglia, sono quasi le cinque. Continua a pensare a quello che ha visto, a Maurizio che abbraccia il ragazzo bruno e lo bacia sul collo. Vorrebbe più di ogni altra cosa essere lui. Pensa: i giorni sembrano notti quando non ti vedo, le notti paiono giorni luminosi quando i sogni mi portano la tua immagine. E pensa che Maurizio non era neanche nel sogno, e che non è vero, che questa notte non è per niente luminosa, è buia, è nera, e si meraviglierebbe se il sole sorgesse davvero, e lo consegnasse a un'altra giornata di dolore, a pensare a quell'abbraccio e a quel bacio che lo sa bene, lo sa adesso, non si cancellerà mai dalla sua testa. Ma il sole sorge comunque, e Luca non riesce a dormire più.

Luca prega ogni giorno. Va nella chiesa dove c'è la statua di santa Rita, la santa a cui è devoto, la santa a cui sua madre lo ha affidato da piccolo, quando era stato malato. La santa dei casi impossibili. Non ha vergogna di pregare e di chiedere il suo aiuto per così poco. Non può essere poco se gli distrugge il cuore. Si inginocchia davanti alla statua, accende una candela e ripete in continuazione: aiutami. Le luci si spengono e non posso essere salvato, ecco le maree contro le quali ho cercato di nuotare. Mi hai messo in ginocchio, e io prego, prego e imploro. In una chiesa non lontana da casa di Maurizio, dove si è rifugiato a pregare, trova una statua della Madonna, davanti alla quale ci sono dei foglietti, una penna, e un cestino dove riporre le richieste, piegate più volte perché nessuno possa leggerle. Luca va in quella chiesa almeno quattro volte a settimana, si inginocchia, scrive la sua preghiera sul fogliettino, lo ripiega e lo infila nel cestino. Poi china il capo e recita l'Ave Maria per dodici volte. Vergine dei miracoli portami ciò che è mio, ciò che così presto e senza motivo ho perso. Si convince che quella pratica farà ritornare Maurizio da lui. Si convince che il suo amore potrà vincere su tutto. L'amore vince tutte le cose, e noi cediamo all'amore. Pensa che l'amore di cui ama Maurizio è troppo grande per non essere ricambiato.

Ogni volta che esce dalla chiesa si sforza di non sentirsi più solo. Il biglietto che ha lasciato nel cestino di paglia dice: Madonnina mia, fa' che ritorni da me.

La cintura che cade sul pavimento insieme ai jeans fa un rumore sordo.

Il ragazzo guarda Luca mentre si spoglia, gli sorride. Luca accende lo stereo accanto al letto e lo tiene basso, perché sono le tre del mattino.

Il ragazzo adesso è nudo, e si avvicina al letto. Luca lo sente mentre gli cade addosso.

Si baciano.

Un'altra lingua, altre labbra, altre mani.

Un odore diverso. Sudore e alcol. La gomma delle scarpe.

Luca pensa che tutto questo potrebbe aiutare a lavare via quello che è stato, il suo corpo che si unisce a un altro. E sempre quella maledetta sensazione di fare tutto quello che si deve fare, e solo quello. Di essere bravo, ogni gesto al suo posto, niente di più. Non voglio sesso anonimo, voglio intimità anonima. Tutto sempre uguale, le labbra che si aprono in un sospiro, una parola sussurrata all'o-recchio a mezza voce, il desiderio di non pensare più a niente, la pelle che scivola sulla pelle. Sto pensando ai tuoi occhi. Chissà se i tuoi occhi stanno pensando a me.

Luca finge di non sentire i sì che gli arrivano sussurrati. Il ragazzo nel bar lo aveva osservato a lungo, poi mentre Luca stava andando via lo aveva raggiunto sulla porta, gli aveva messo una mano sulla spalla.

"Scusa… Non vorrai mica andartene così?" E un sorriso.

Potrei gettare le braccia al collo di ogni ragazzo che vedo, ma tutti mi ricorderebbero te.

Luca muove le mani, le labbra, le gambe, come se non fossero le sue. Poi si volta e affonda la faccia nel cuscino. Plutarco racconta che in una battaglia un soldato caduto a faccia in giù chiese al nemico che stava per ucciderlo di potersi voltare. Non voleva che il suo amico lo trovasse così, riverso al suolo, colpito fatalmente alle spalle.

Il primo mese dopo che Maurizio lo aveva lasciato, Luca lo aveva chiamato e aveva insistito perché si vedessero comunque.

"Non posso pensare che finisca tutto così," aveva detto.

Maurizio aveva esitato. Poi aveva detto di sì. Si erano visti due o tre volte a settimana. Erano andati al cinema a vedere film in lingua originale, a teatro, avevano mangiato insieme, si erano raccontati tutto quello che succedeva nelle loro vite. Luca gli aveva detto: "Mi sento ancora tuo," e Maurizio non aveva risposto nulla. Ogni sera, quando Luca lo riaccompagnava a casa, e Maurizio scendeva dalla moto, staccando le sue mani dai fianchi di Luca, si baciavano sulle guance, e Maurizio andava via con un sorriso.

"Ti chiamo domani mattina," diceva prima di sparire in fondo al vicolo.

Erano stati bene, insieme. Come tutte le volte che si vedevano. Luca immaginava che Maurizio non potesse non pensarci anche lui, a quanto si cercassero. A quanto fosse stupido non tornare insieme. Intanto, lo seguiva dappertutto. Al cinema, quando Maurizio si alzava durante la proiezione per andare al bagno, Luca metteva la mano sul sedile della sua poltrona, ne assorbiva il calore, pensando qui sei stato seduto tu, questo è il calore del tuo corpo e sta passando nella mia mano. Quello che tocchi sei anche tu. Poi Maurizio ritornava, Luca nascondeva la mano e non sapeva mai dire cosa fosse successo nel frattempo nel film.

In quelle settimane, Luca non volle sentire tutto quello che lo feriva. Maurizio pochi giorni dopo averlo lasciato gli disse che sperava di innamorarsi presto di nuovo.

"Sai, io funziono molto meglio quando sono in coppia."

Luca non disse: non ti accorgi di quanto mi fai male, parlandomi di questo?

Un'altra sera, Maurizio venne a cena a casa di Luca. Nel pomeriggio era stato a teatro, e aveva visto un popolare cantante cinquantenne in compagnia di un ragazzo molto più giovane, bellissimo.

"Perché non posso avere anche io un ragazzo così bello?" aveva chiesto a Luca.

Luca non disse: non ti accorgi che mi distruggi?

Una terza sera, in un ristorante, Maurizio aveva detto a Luca che un suo ex fidanzato stava per arrivare in città e si sarebbero rivisti.

Luca non disse niente. Non disse: non sai che tutto questo mi uccide?

Ma Maurizio questa volta si accorse di qualcosa. All'uscita, mentre camminavano lungo il fiume, disse di avere visto un'ombra che passava negli occhi di Luca, e volle sapere se lui avesse pensato mai alla possibilità di tornare insieme. Luca pensò che questa volta, almeno questa volta, doveva dire la verità. Confessò a Maurizio che non pensava ad altro. Che pensava fosse assurdo non ritornare insieme.

"No, no, io non penso così," disse Maurizio. "Devi mettertelo in testa. Non c'è stato un solo momento in questo mese e mezzo in cui io non sia stato convinto di avere fatto bene a lasciarti. Io sono più felice senza di te. Voglio avere con te un rapporto solo da amico, voglio poterti raccontare che mi piacciono gli altri ragazzi, voglio poterti dire se mi innamoro."

"Mau… io questo non lo posso sopportare."

"Il fatto che tu sei ancora innamorato di me è un peso. Un peso che non voglio. È meglio se non ci vediamo più."

Luca sentì uno scoppio. Ma disse:

"Hai ragione."

Cinque minuti dopo, Luca accompagnò Maurizio sotto casa. Prima di andarsene, Maurizio disse:

"Comunque non sono arrabbiato."

Luca non fece neanche in tempo a chiedere: arrabbiato per cosa? Maurizio era già andato via.

Luca pensò: torneremo per strada a fissare i passanti e saremo passanti anche noi. Non ti cercherò più, mai più.

L'innamorato, nei suoi comportamenti, presenta analogie con tre precise categorie di individui: gli affetti da disturbi ossessivi compulsivi, i tossicodipendenti, e le persone colpite da depressione.

Tanto chi è innamorato quanto chi è affetto da OCD (Disturbo Ossessivo Compulsivo) perde la capacità di controllare il contenuto della propria mente. L'attenzione viene monopolizzata da pensieri e immagini che la volontà non riesce a scacciare. In entrambi i casi si manifestano difficoltà di concentrazione e impegno. Inoltre sia gli innamorati che gli affetti da OCD diventano superstiziosi e confondono pensiero e azione. Uno studio della psichiatra italiana Donatella Marazziti ha dimostrato che i livelli della serotonina sono più bassi del 40 per cento tanto in chi ha una diagnosi di OCD quanto in soggetti sani che si dichiarano innamorati.

Sia innamorati che tossicodipendenti e alcolisti avvertono costantemente un senso di incompletezza, sono consapevoli dell'irrazionalità dei loro comportamenti, ma non riescono a modificarli. Inoltre, l'incontro con una persona da cui siamo attratti causa il rilascio nel cervello di feniletilamina, un composto simile all'anfetamina. L'abbandono invece causa un brusco abbassamento del suo livello, che provoca chimicamente una reazione molto simile alla crisi di astinenza di un tossicodipendente. Uno studio di Semir Zeki pubblicato su 'Neuroreport' nel 2000 ha dimostrato che nell'innamoramento e nel consumo di oppiacei e cocaina le aree cerebrali coinvolte sono le stesse.

Quanto alla depressione, l'alternanza tra stati euforici e disforici dell'innamorato ricorda molto da vicino quanto accade nel disturbo bipolare. La semplice separazione dalla persona amata provoca normalmente apatia, insonnia, perdita di appetito, difficoltà di concentrazione, calo di interesse per le attività quotidiane, tutti sintomi comuni nella depressione. Inoltre le statistiche sui suicidi indicano nella depressione e nell'abbandono amoroso due dei maggiori fattori di rischio.

E mentre sta mangiando, a un pranzo di lavoro, a un tratto Luca viene attraversato da questo pensiero.

Conosco tutte le sue mutande. Conosco i suoi calzettoni scuri e quelli chiari, di cotone, a coste, brutti, che usava d'estate e che i miei amici prendevano in giro. Ricordo le mutande colorate che gli ho regalato, e che lui ha messo una alla volta per me, per mostrarmi come gli stavano. So che va in giro per la città con le calze scure che gli ho comprato, di cotone, né lunghe né corte, so dell'elastico che gli stringe sui polpacci, e del segno rosso che gli lascia sulla pelle bianca. Poiché ci prestavamo le cose, il suo stendibiancheria è una teoria dei momenti che abbiamo trascorso insieme. Lì uno dietro l'altro ci sono i secondi della nostra intimità, i tessuti che abbiamo scambiato, che si asciugano e diventano pronti perché lui li possa indossare di nuovo senza più ricordare. A ogni lavaggio qualcosa che era ancora nostro, un capello, un pelo, un frammento di pelle squamata, una goccia di sudore, una crosticina, viene cancellato e va via, e tutto ritorna come era prima, senza traccia del passato. Un'altra persona lo vede con quelle mutande, lo osserva mentre si sfila i calzettoni, al mattino gli passa la tazza del caffè senza una parola e poi lo vede entrare nella doccia sfilandosi i boxer bianchi con la riga blu che ho scelto nel negozio che gli piaceva. "No, non sono per me... credo ci voglia una taglia più grande."

Luca si alza dal tavolo con un mezzo sorriso, si allontana scusandosi verso il bagno, si chiude dentro, e piano, senza agitazione, vomita quello che ha mangiato. Il sapore amaro che ha nella bocca scorre piano, senza che lui si opponga, nello stomaco le fitte premono, e Luca cede, chiude gli occhi, si appoggia con la mano contro la parete.

Pensa: quando riaprirò gli occhi sarai andato via. Quando riaprirò gli occhi sarai andato via. Quando riaprirò gli occhi.

Torna a tavola dagli altri. La fatica è sedersi senza farsi notare. Tutto il resto poi viene da sé. Adesso fate entrare i clown.

Dopo quella notte di febbraio, Luca non cercò più Maurizio. Si costrinse a pensare alle parole che aveva sentito, al fatto che il suo amore era un peso.

Maurizio inviò gli auguri di compleanno a Luca. Gli scrisse due mail, in cui raccontava cose insignificanti, gli chiedeva se aveva cominciato il corso di lingua spagnola e gli diceva di avere incontrato un insegnante spagnolo simpatico e omosessuale. Chiamò al telefono, e Luca non rispose.

Nella terza mail, Maurizio gli chiese di incontrarlo. Scrisse che non poteva finire così, che avevano ancora tanto da condividere, che il loro era stato un incontro speciale, che non poteva sopportare l'idea di perderlo. Luca accettò di vederlo.

"Non capisco come fai a ridurti così per una persona con cui non stavi neanche bene."

"Ma ti senti quando parli? Le senti le cose che dici? Sono assurde."

"Sono quattro mesi che al lavoro sei inservibile… avessi avuto anche solo un'idea buona, una dico…"

"Sei troppo magro… quanto peso hai perso?"

"Sei tu che vuoi soffrire, guarda non mi fai nessuna pena, ti darei due schiaffi, avessi io i problemi che hai tu…"

"Luca… ma non conta niente per te il fatto che io ti voglia bene? Ci sono io, ci sono tutti i tuoi amici… fatti aiutare però…"

"Ma è vero che hai regalato tutta la raccolta dei libri di Carver a Valeria…? No, guarda te lo dico proprio chiaramente, sono preoccupato, lo sanno tutti che quando uno comincia a separarsi dagli oggetti a cui ha sempre tenuto tanto è un bruttissimo segno…"

"Che c'hai Luca? Non volevi venire a trovarci? C'è qualcosa che non va…? Tu con noi non parli più, ma guarda che anche se sei grande, se sei un uomo, noi siamo sempre qui..."

"È insopportabile starti di fronte e capire che pensi a una sola cosa. Insopportabile."

"Facciamo così... ti lascio il numero... vediamoci di nuovo, è stato grande... la prossima volta magari un sorriso in più, eh? Che dici? Lo sai che sei bellissimo?"

"Deve dimenticare. L'innamorato che non dimentica qualche volta, muore per eccesso, fatica e troppa memoria."

"Prenda questa medaglietta... L'ho vista pregare prima in chiesa... la prenda... io questa sera pregherò per lei..."

"I nostri rapporti sono solo professionali... quindi non mi permetto di chiedere... Però... se hai bisogno di qualcosa... è difficile aiutarti così, senza sapere..."

Andatevene, lasciatemi in pace, tanto non potete capire, andate via, non vi voglio sentire, morite tutti.

Pioveva quell'undici aprile. Si videro in una piazza dopo pranzo, si sedettero al tavolino di un bar sotto un ombrellone, ordinarono due caffè.

Maurizio era scosso, aveva le lacrime agli occhi, disse di non avere dormito pensando che avrebbe dovuto incontrare Luca. Disse:

"Non dire niente. Mi basta stare qui davanti a te, mi basta poterti guardare negli occhi."

Poi parlò. Disse a Luca che pensava a lui tanto, ogni giorno, che c'erano milioni di cose che voleva fare con lui, che non sopportava l'idea che non fosse presente nelle sue giornate, non tollerava di non potergli telefonare quando voleva parlare. Gli disse che voleva chiedergli di essere nella sua vita, a condividere tutto.

"Maurizio, ma condividere cosa? Io non posso esserti amico. Io ti desidero ancora. E poi sono arrabbiato con te, perché penso che non hai dato una possibilità alla nostra storia. Io ti auguro tutto il bene del mondo… veramente… ma non posso starti vicino. Se penso a te insieme a un altro sto male."

"Ma anche io se ti penso insieme a un altro sto male," rispose Maurizio.

Luca non disse più nulla, perché a questo punto avrebbe solo voluto urlare: ma allora perché, perché non stiamo più insieme?

Maurizio continuò a parlare ancora, gli disse che lo avrebbe cercato, anche contro la sua volontà. Gli disse di nuovo quanto lui fosse straordinario, quanto la loro storia fosse stata la più importante della sua vita.

Luca pensava solo: salvatemi. Qualcuno venga a salvarmi.

Poi Maurizio baciò Luca sulle guance e gli disse:

"Non so se tu sei stato contento di vedermi, forse no. Ma io sono stato felice, perché ho potuto rivedere i tuoi occhi."

Andò via.

Luca si alzò dal tavolino. Tutti i fiori che hai piantato nel cortile sul retro, sono tutti morti quando sei andato via. Non aveva la forza di ritornare a casa. Sapeva cosa sarebbe successo ora. Adesso avrebbe ricominciato a pensare a tutto quello che Maurizio gli aveva detto, a tutto quello che ancora c'era fra di loro. Avrebbe ripreso a sperare, a credere che Maurizio avesse solo paura di amare, paura di lasciarsi andare, paura di invecchiare o di essere già vecchio, e che un giorno, sicuramente, avrebbe capito tutto. Se lui gli fosse stato vicino, e avesse sopportato con pazienza, un giorno Maurizio sarebbe venuto da lui, avrebbe bussato alla sua porta e gli avrebbe detto: voglio solo te, sono stato uno stupido, ho bisogno dell'amore, l'amore è divino, per favore perdonami, adesso capisco che sono stato cieco. Luca avrebbe aspettato quel giorno, voleva quelle parole più di qualsiasi cosa al mondo, e per quelle avrebbe pagato e tollerato qualunque cosa.

Pianse, mentre camminava da solo lungo il fiume. Aveva smesso di piovere e lui pianse. Pensò a tutte le cose che aveva sperato di sentire e non aveva sentito. Si appoggiò sul muretto del ponte dove erano stati insieme qualche mese prima, e avevano guardato l'acqua che di notte sembrava immobile.

Ritornato a casa scrisse a Maurizio.
'Maurizio,
a me fa male vederti così. Perché ripenso a noi, a quello che poteva essere. A quello che per me, tutt'ora, e nonostante questi ultimi mesi, è uno spreco assoluto.

Non so se sono riuscito a dirtelo chiaramente. Io non posso avere con te un qualsiasi rapporto che non sia d'amore. So che le uniche parole che accetterei di sentire da te sono: Ho fatto una cazzata, sono infelice, voglio riprovarci. E penso che non me le dirai mai.

Per questo, non cercarmi, non mandarmi più mail, neanche di risposta a questa, non chiamarmi più se non hai queste parole nel cuore.

Se e quando riuscirò a darti qualcosa che non sia amore, ma affetto e amicizia, ti cercherò io.
Luca.'

Poi spinse il tasto 'invia ora' sul computer.
Sapeva che non lo avrebbe rivisto più, e andò a dormire. Nessuno è vissuto senza uccidere, senza tagliare un fiore, profumarsi e andare avanti.

Laggiù c'è una fontana che è piena di monete,
le ho buttate io
tutte le notti che non tornavi.
Quelle te le porterò a vedere.
Non le stelle che sono cadute, non
le candele che ho acceso nelle chiese,
non i versi delle preghiere, non
le lacrime che ho pianto,
non le parole degli amici, non
le notti che ho passato sveglio
ad aspettarti.
Solo le monete ti farò vedere.

Sotto l'acqua che scorre,
quando ritornerai,
quelle te le farò vedere.

"Aspetta, metto tutto in una busta più piccola... Sai che ieri è passato il tuo amico...?"

"Quale amico?"

"Quello alto, biondo... più grande di te... quello con cui eri venuto una volta..."

"Ah... sì."

"Ha comprato le creme, l'antirughe... io non lo avevo riconosciuto, allora lui quando era alla cassa mi ha detto: 'Non si ricorda di me? Sono l'amico di Luca,' e io gli ho fatto lo sconto, gli ho dato pure i campioncini..."

"Hai fatto bene... quanto pago?"

Luca esce dal negozio. Si accende una sigaretta e si stupisce che la mano non gli tremi. Me ne sto in disparte, ignorante al sommo, e di te sento parlare. Puoi pronunciare il mio nome per farti fare lo sconto su una crema, e la terra non si apre sotto i tuoi piedi e non ti inghiotte. I gigli che marciscono puzzano assai più delle erbacce, le cose più meravigliose diventano le più amare con i loro atti. Vorrei uscire da questa storia come si esce da una stanza.

"…Luca? Oh? Luca?"

"Chi è?"

"Sono io… Dài, su, svegliati…"

"…Maurizio? Sei tu? Sei proprio tu? …Mau?"

"Sì, sono io."

"Non ci credo… Che fai qui? A quest'ora…"

"Cosa vuoi che faccia? Sei cretino? Sono venuto a trovarti."

"Dio… Ti aspettavo, ti ho aspettato tanto, lo sai?"

"Sì, lo so. Vieni qui, forza, alzati dal letto."

"Posso accendere la luce? Solo questa bassa, sul comodino…"

"No, Luca, lascia stare. Dài, fa' presto, vieni qui."

"Eccomi. Non so che fare, però. Mi sembra strano, stare così, davanti a te… Ma sei proprio tu, Mau…? Non è uno scherzo, vero?"

"Non restare così. Abbracciami."

"Sì… quanto è bello stringerti di nuovo. Quanto è bello…"

"Shhh…"

"Perché sei tornato…? Sei… sei venuto a dirmi qualcosa?"

"No. No, mi dispiace, non ho niente da dirti."

"Speravo che…"

"Scusami. Lo so, sono inadeguato. Lo sono sempre stato con te, te l'ho sempre detto."

"Non è vero… non lo dire. Non importa che non hai niente da dirmi. Basta che resti qui. È una musica questa? Che cos'è…? È *Moonriver*, vero? *Moonriver* cantata in spagnolo…"

"Stringimi, e balla con me. Non parlare."

"Va bene. Io…"

"Per piacere Luca, non sembrare così triste."

"Non sembro triste, Mau. Sono triste. Perché c'è questa musica adesso?"

"Non te lo ricordi, Luca? Davvero non ti ricordi?"

"Sì, scusami… Adesso me lo ricordo. L'abbiamo visto insieme. *La mala educación*. In spagnolo. Io non capivo molto, facevo finta però. Quando è cominciato il film mi hai preso la mano e l'hai tenuta stretta. È stata la prima volta che lo hai fatto."

"Sì."

"…Poi dopo tutti i film li abbiamo visti così, con te che mi tenevi la mano per tutto il tempo. E io ero emozionato, quella volta, lo sai?"

"Sì, Luca, lo so."

"Volevo che qualcuno ci vedesse, anche se lì non ci conosceva nessuno. Che qualcuno vedesse come ci amavamo. Speravo che il film fosse romantico, speravo che parlasse di noi, di quello che ci stava succedendo. E invece non era romantico per niente, anzi era duro, spietato, sembrava che nel film l'amore non esistesse, e io ero dispiaciuto, volevo un film d'amore da ricordare con te. Ci sono rimasto male."

"Sì, lo so. Quando ci rimanevi male si vedeva, ti passava sempre un'ombra negli occhi."

"Scusami."

"Di cosa?"

"Non lo so. Scusami lo stesso."

"Dormi con il pigiama, adesso."

"Sì… in realtà anche prima, ma sapevo che a te non piaceva. E allora non lo mettevo mai per farti contento. Mau… senti… ci sono un sacco di cose che vorrei chiederti…"

"Cerchi ancora delle spiegazioni? Non ci sono spiegazioni, Luca. Le cose finiscono, tutto qui. Dài, continua a ballare. Mi è sempre piaciuto quando ballavi."

"Mi fai paura, adesso, lo sai? Ti amo ancora, ma ti temo. Ho sempre paura che tu mi faccia qualcosa."

"Che altro posso fare, ancora?"

"Non lo so, non lo so… Ho solo paura. Mau…?"

"Che c'è?"

"Posso baciarti?"

"No. Non puoi baciarmi più."

"Ma è proprio deciso? Non succederà mai più? Nemmeno una volta sola?"

"No, Luca, no."

"Non appoggerò mai più le mie labbra sulle tue? Non sentirò più il sapore della tua bocca?"

"Sei patetico."

"Hai ragione. Scusa."

"Come devo fare con te…? Non lo hai ancora capito?"

"Ma non è giusto, neanche in un sogno? Scusa, è il mio sogno questo, e non posso nemmeno baciarti?"

"No. Non puoi."

"E posso restare ancora abbracciato a te?"

"Sì. Questo sì."

"Grazie. Non so se ce la faccio a ballare, però. Mi sembra che le gambe non mi reggono più. Posso stare solo abbracciato stretto, senza muovermi? Maurizio…? Posso restare così? Per favore, non andartene. Resta con me, e io non farò più quei brutti sogni. E tu non te ne andrai al mattino, e io ti dirò tutte le cose che volevo dirti e non ti ho mai detto, ti farò capire quello che non sai, e staremo sempre insieme, e non mi resterà più tutto questo elenco di cose non fatte che non mi lasciano vivere più, Maurizio, resta qui, per favore, non farmi svegliare, resta qui e ti prometto che sarò tutto quello che vuoi, e che sopporterò tutto, anche il fatto che non mi ami, ti prometto che nei miei occhi non passerà più nessuna ombra scura, non mi lamenterò, non ci resterò male, non piangerò, non piangerò mai, riderò per te tutte le volte che vorrai, e ti farò ridere, e saremo felici, e il mio amore basterà anche per te, e non dovrai più andare in giro a cercare niente. Maurizio, se resti, sarà come hai sempre voluto, come dicevi che volevi, avrò anche dieci anni di meno, e sarò più bello, te lo giuro, mi devi credere, fidati di me, dammi una seconda possibilità… Maurizio?

Maurizio?

Mau?

…Maurizio?"

Oggi sono passati cinque mesi e venti giorni dal pomeriggio di dicembre in cui Maurizio è andato via. Un mese e venti giorni dall'ultima volta che Luca lo ha visto e ha parlato con lui.

Oggi è il primo giugno, e Luca sta ritornando sull'isola dove a settembre è stato con Maurizio. Ha preso di nuovo la casa in affitto, la casa con la bella vista sul golfo, la casa con il terrazzo a calce che ti lascia i piedi bianchi quando ci cammini scalzo.

Ha portato una sacca grande con tutto quello che pensa potrà servirgli. Sa cosa sta facendo, sta fuggendo, e lì sull'isola almeno è sicuro che non potrà incontrarlo per caso tra la gente. Sull'aliscafo chiude gli occhi per riposare. Ricorda quando hanno fatto quello stesso viaggio insieme, ricorda che si erano tolti le scarpe e che si erano toccati i piedi nudi sotto le poltrone, ricorda che una signora aveva chiesto loro qualche giornale da leggere, visto che ne avevano tanti. Poi avevano riso, perché la signora non sembrava soddisfatta delle loro scelte, e si lamentava fra sé delle riviste che non erano 'il suo genere'. Si maledice, allora, e spera che non sarà tutto così, spera che non sarà solo ricordo. È partito per riprendersi. Non sei partito per affogare, si ripete.

L'isola è bella come sempre. Nel piccolo taxi per andare verso casa, prega che il tassista, lo stesso che li aveva portati in giro a settembre, non gli domandi niente di quel suo amico che una notte mentre tornavano verso casa gli aveva chiesto di aprire il tettuccio per poter vedere le stelle.

Grazie a Dio il tassista è stanco, ha avuto una giornata pesante, ha un figlio di cui parlare, non chiede e non ricorda niente. O forse ricorda, sa, ed è per quello che legge negli occhi di Luca, è per umana pietà, che invece rimane zitto. Mentre superano le distese gialle di ginestra, Luca pensa a come le cose che ci accadono sembrano così naturali, quasi indifferenti mentre succedono, e poi quando è il momento non riusciamo più a staccarcene. Vede l'acqua sotto di lui, a sinistra, e pensa: sono venuto a seppellirmi qui, e forse solo così potrò salvarmi.

A casa apre le finestre, si sforza di organizzarsi, si infila i pantaloni corti e pulisce tutto. Suda. Ha staccato il telefono, si costringe a mettere in ordine anche il bagno, gli sembra di cadere sulle piastrelle quando è il momento di lavare la doccia nella quale hanno fatto l'amore, e pensa: Dio santo, come farò a dormire in quel letto, perché sono stato così stupido da venire qui, che cosa sto cercando di capire? Eppure la lista delle cose da fare è più forte di lui. Controllare le piante. Mettere in funzione il deumidificatore. Sistemare i vestiti nell'armadio. Cambiare la carta nei cassetti. Accendere le candele per allontanare le zanzare. I materassi da portare al sole. Si accende una sigaretta e seduto al tavolo della cucina compila una lista con le cose da comprare al supermercato.

Mentre torna dal negozio, più carico di buste di quanto pensasse possibile, uno dei suoi sandali si rompe. Si ferma, lo raccoglie. Deve essersi rovinato con l'umidità dell'inverno, deve essere stato mangiato dal sale. Tutto si consuma. E allora perché solo il suo amore non muore? Luca prende i sandali, li butta via in un cassonetto dell'immondizia. Continua a camminare a piedi nudi, e gli piace, pensa a quanto gli sia sempre piaciuto camminare scalzo, anche quando era un bambino e sua madre lo rincorreva perché temeva si raffreddasse. Sentire la pietra calda sotto le piante dei piedi, adesso che è già pomeriggio e ha raccolto tutto il sole del giorno. Duecento metri più avanti, la plastica delle buste gli sega le mani, e lui si ferma a sedere su un muretto. Si accende una sigaretta. Si sente facilmente stanco adesso, si sente stanco quasi sempre. Non è così che si capisce di essere malati? Si rallenta, non si ha più la forza di fare le cose quotidiane, queste diventano tutte troppo più forti di noi. Luca pensa che gli innamorati invece non sono mai stanchi. Si dice che gli passerà, che l'aria del mare gli farà bene. Forse gli tornerà l'appetito, anche se prima, mentre comprava le provviste, ha scoperto che non desiderava niente. E la mattina non ha fatto colazione. E a pranzo non ha mangiato. Quante ore sono che non mangia? La sera prima ha mangiato, ma cosa? Sul muretto, a qualche metro di distanza da lui, due uomini anziani se ne stanno seduti a fumare, e parlano di qualcosa che Luca non capisce, delle tute verdi che devono mettere per fare piacere agli ambientalisti. Dopo un po', afferra che lavorano come spazzini sull'isola.

"La verità, 'a sai qual è? Che 'o munno nun è rotondo, 'o munno è quadrato…"

"Eh, chi tene 'e soldi, e chi nun tene 'e soldi…"

Ridono, continuano a parlare, dicono altre cose che Luca non capisce, o forse capisce ma sono troppo lontane. Non c'erano stati giorni in cui il mondo gli parlava? Seduto a fumare, si guarda da fuori, un uomo di trentasette anni stanco, forse un po' troppo magro, sicuramente triste. Osserva le buste poggiate a terra, si accorge che la mozzarella ha fatto una macchia bagnata sulla carta del pane. Si inzupperà prima di arrivare a casa. Ha comprato tutta quella spesa per resistere, lo sa, ma per resistere a cosa?

La spesa a casa viene ordinatamente riposta fra gli scaffali e il frigorifero, che si sta caricando e ronza forte. Luca ritorna al terrazzo, si sporge a guardare il mare di sotto che lo sta aspettando. È calmo. Sugli scogli non c'è nessuno. Lo sta chiamando. Lo sa. Non c'è nessuna sirena a cantare, solo l'acqua trasparente. Ha finito tutto quello che doveva fare, non gli resta che questo adesso. Si sfila la maglietta, decide di non prendere l'asciugamano, si chiude la porta di legno alle spalle, mette le chiavi sotto il sasso piatto, dove sono sempre state, poi scende giù per gli scalini irregolari di pietra. Una signora accaldata salendo lo saluta. Ha le stanghette degli occhiali tutte storte. Si ricorda di lui dall'anno prima. Luca spera che lei lo trattenga, ma quella continua a camminare. Gli sembra di non pensare nemmeno più, quando arriva finalmente giù sullo scoglio. Il sole sta scendendo. Fra poco sarà il tramonto. Le alghe si trascinano piano muovendosi sotto gli scalini di pietra. Sembrano stanche anche loro.

Si tuffa subito, l'acqua è ancora fredda, e Luca pensa che quella è la stessa acqua in cui si sono bagnati insieme, e non ci si tuffa mai due volte nella stessa acqua, è vero, è sicuramente vero, e allora perché lui sta portando ancora Maurizio sulle spalle? Comincia a nuotare piano, trovandosi una strada tortuosa fra le barchette di legno ormeggiate, poi quando è a una cinquantina di metri dalla riva, può finalmente prendere il largo. Il sole è alla sua sinistra, l'acqua tutt'intorno a lui. Respira ogni tre bracciate, come fa quando vuole nuotare più a lungo, non ha fretta, non ha nessuna fretta, non c'è nessun posto in cui debba obbligatoriamente arrivare, e perché arrivarci prima, allora? È dopo un po' che i polmoni cominciano a fargli male, un dolore insistente, cupo. Non dovrebbe continuare a fumare, lo sa, ma, come gli ha detto un amico sorridendo, si smette di fumare solo per qualcuno, perché arriva un figlio, perché la tua fidanzata non vuole, non si smette per se stessi, non si smette mai solo per salvarsi. Si ferma a riprendere fiato un momento, poi continua, tre bracciate, respiro a destra, tre bracciate, respiro a sinistra, ora il dolore arriva anche alle gambe, dentro i muscoli, intorno alle ginocchia sente come due cerchi di ferro splendente. Tre bracciate, respiro. Forse con gli occhialini sarebbe arrivato più lontano? Non lo sa, non può saperlo, e poi che importa adesso? Ora conta solo nuotare più a lungo possibile, più a largo possibile. È ancora la stessa acqua di Maurizio, questa che lo bagna? È ancora lo stesso mare in cui sono stati insieme? Gli entra un po' di acqua salata in bocca, tossisce, la sputa via sotto insieme all'aria, come gli hanno insegnato a fare nella piscina in cui suo padre lo portava al mattino, da piccolo, obbligandolo a non mangiare prima. Sente di non farcela più, ma si costringe, ancora cento bracciate, e poi ancora cinquanta, e poi ancora, ancora, ancora, e ancora, non smettere, continua, ancora e ancora. Ecco, ora davvero non può più andare avanti, non ce la fa. Si ferma, il respiro spezzato, ansioso, come se non credesse mai più di poter recuperare un ritmo normale. Quasi automaticamente, si gira su se stesso, si volta a guardare quanto è riuscito ad arrivare lontano. Si asciuga l'acqua dagli occhi, si soffia il naso. È lontano, sì, è molto lontano. La costa, davanti a lui, sembra quasi disabitata. Le case affacciate sul mare lo fissano con le orbite vuote. Guarda verso il suo terrazzo e gli sembra di vedersi, lì, appoggiato al parapetto di legno, e c'è un'ombra che lo stringe da dietro e lo abbraccia forte. È Maurizio. Ricorda, è il quattro settembre dell'anno prima, sono appena arrivati sull'isola. Lo sta baciando piano sul collo, fra qualche secondo gli prenderà la mano e lo farà entrare in casa per fare l'amore. E sarà dolce. E sarà bellissimo. Luca guarda di nuovo la costa lontana, mentre un lamento che lui solo può sentire gli sale piano dalla pancia e lo fa tremare tutto. Il sole sta scendendo sul mare, comincia a fare freddo. Qualcosa di viscido gli sfiora il polpaccio sinistro, forse una medusa, o una busta, o un'alga, o una mano. Luca quasi non se ne accorge. Sente solo il freddo. Conosce quel freddo, il freddo degli innamorati, un freddo speciale, quello del cucciolo che ha bisogno del calore materno. Piano, con una sicurezza crescente, capisce perché è venuto fin lì. Perché l'isola lo voleva. Pensa: nessuno si ricorderà di noi. Noi non ci ricorderemo di noi. Oggi sei entrato nel mio passato, nel passato della mia vita. Adesso capisce cosa succederà. Sarà sempre come oggi. Ogni sera, prima del tramonto, andrà a nuotare. Ogni sera si tufferà e si spingerà sempre più lontano, ogni volta qualche metro in più, fino a non avere fiato. Ogni sera ritornerà poi verso riva, ansimando, e quando esausto avrà toccato terra si getterà sugli scogli per accendersi una sigaretta, mentre la luce del giorno intorno a lui si spegne. Poi, al buio e scalzo, risalirà i gradini che portano verso casa, spingerà la porta di legno che non si chiude bene, si metterà davanti ai fornelli e farà qualcosa da mangiare. Potrà essere venuto qualcuno a trovarlo, e allora starà con lui, o con lei. Altrimenti mangerà da solo in terrazzo, sotto la luce gialla. Poi forse scriverà qualcosa, o si metterà a letto a leggere. Il sonno lo consegnerà al giorno successivo. Avrà cose da fare, più o meno importanti, si dedicherà al lavoro, e aspetterà quel bagno alla sera, pigramente. L'acqua in cui si tufferà sarà ogni giorno un po' diversa, fino a quando sarà un'acqua del tutto nuova, in cui nuoterà leggero e brillante come un pesce, lasciando una scia argentata dietro di sé, che nessuno potrà vedere. Forse qualche volta penserà di continuare semplicemente a nuotare, dritto davanti a sé, senza mai ritornare indietro. Ma poi, invece, ogni volta immancabilmente farà ritorno, perché sentirà che qualcosa lo sta aspettando, anche se non saprebbe dire cosa, e lui non può fare a meno di ritornare. Può arrivare in ritardo, ma non può fare a meno di ritornare.

Ora Luca sorride, e sente che per lo sforzo gli fa male la mascella. Rovescia la testa indietro nell'acqua. Poi stende le gambe e si prepara. Inspira forte, si lancia in avanti e riprende a nuotare piano verso riva.

La prima volta che Luca vide Maurizio era il ventidue luglio dell'anno prima, e fu così.

Si incontrarono per un appuntamento di lavoro. Caterina, una sua amica, gli aveva chiesto di conoscere un architetto; aveva bisogno di una persona che scrivesse la presentazione di un progetto per un nuovo spazio espositivo. Luca non aveva nessuna voglia di andare, quel giorno. Stava lavorando anche troppo, voleva partire, non scrivere per un po', prendersi una vacanza, staccare. Si aspettava di pranzare con un signore cinquantenne, in giacca nonostante il caldo impossibile. Si ritrovò invece un ragazzone invecchiato, di quarantun anni, troppo alto e un po' impacciato, che si alzava dal tavolo della trattoria, lì sul marciapiede, e gli tendeva la mano per presentarsi e salutarlo. La prima cosa che vide Luca, fu il movimento degli occhi azzurri di Maurizio, che si spostavano veloci da sinistra a destra. Non avrebbe poi saputo dire mai più cosa avesse visto in quello sguardo. Né se gli occhi di Maurizio avessero osservato davvero lui, o gli fossero solo passati vicino.

Fu di musica che parlarono come prima cosa. A Maurizio, si scoprì, avevano appena regalato un iPod che non sapeva ancora usare, che era muto, senza musica. Per qualche minuto Luca, grato di avere qualcosa di cui parlare, si trasformò in una specie di esperto. Ma già non stava pensando più a quello che diceva. Sentiva se stesso elencare dati e prestazioni, e cercava solo di non guardare Maurizio negli occhi. Ma a un tratto vide in Maurizio, quando finalmente rialzò gli occhi su di lui, qualcosa da ammirare e da compiangere. E sentì un dolore sordo nelle orecchie.

Poi parlarono di lavoro. Luca ascoltava Maurizio e Caterina con una specie di ansia nel cuore. Quanto sarebbe durato al massimo quel pranzo, quanto presto sarebbe finito? Quanto ancora avrebbe avuto Maurizio di fronte, e i suoi occhi azzurri da fuggire? Sarebbe riuscito a dirgli, a fargli capire: ti sto guardando e non so che mi succede, non mi è mai capitato niente di simile in trentasei anni di vita, non voglio più alzarmi da questa sedia, per favore spiegami, o aiutami, o vattene, o comunque fa' qualcosa. Maurizio ogni tanto rideva, aprendo la bocca in una risata che gli rovesciava addosso sole e vita. Non ci si innamora mai di una persona nel suo insieme, ci si innamora sempre di un particolare. Luca gli vide in bocca un dente diverso dagli altri, in basso a destra, un premolare più scuro, tutto grigio. Doveva essere semplicemente un dente devitalizzato. A Luca sembrò invece una perla scura, una pietra preziosa, un pegno che un antico mago aveva lasciato cadere lì dentro, in attesa che qualcuno si spingesse a raccoglierlo. Pensò improvvisamente che avrebbe voluto baciarla, quella pietra grigia, e passarci sopra la lingua, e sentì che a quel pensiero il sangue gli saliva dritto su, sul viso, e gli pungeva agli angoli degli occhi.

Mentre mangiavano, Luca si ascoltava parlare, senza fare caso a quello che diceva, attento solo a non perdere il controllo. Si rovesciò della pasta sulla maglietta, macchiandosi con l'olio. Sperò che Maurizio non se ne accorgesse, ma lui dopo qualche secondo gli aveva già puntato un dito sul petto.

"Guarda. Ti sei macchiato."

"Sì."

Luca non rispose altro. Voleva chiedergli: non ho ballato con te in Brabante una volta? Sì, Maurizio, non ci conosciamo, ma io ho ballato con te in Brabante una volta.

E invece altre parole, altri discorsi che Luca non avrebbe mai più ricordato per quanto si sforzasse, cancellati dalle emozioni, e da tutto quello che poi sarebbe successo. Quando alla fine si alzarono per andare a prendere un caffè al bar, Luca seguì Maurizio e Caterina, entrò nel bar e disse buongiorno, bevve il caffè, sorrise. Poi, quando Caterina andò via, Luca camminò con Maurizio verso il motorino di lui, fece una decina di metri in più come se volesse accompagnarlo.

"Allora ci vediamo. Per il progetto… se ti va di scrivere qualcosa…"

"Sì, va bene, ci penso. Chiamo Caterina."

"Sì. E poi c'è la questione della musica. Hai promesso di aiutarmi…"

"Certo. A presto."

Si sorrisero un po' imbarazzati, salutandosi con una stretta di mano appena più trattenuta. Luca si voltò, raggiunse la sua moto, rallentò i movimenti mentre prendeva il casco, in modo da vedere Maurizio che gli passava davanti e lo salutava di nuovo sollevando allegro la mano, per poi scomparire lungo la strada.

Solo allora Luca si bloccò, con il casco in mano. Si sentiva confuso, come se avesse corso giù per una discesa, le braccia aperte e il vento in faccia, senza sapere bene dove arrivare. Guardò le persone ancora sedute che continuavano a mangiare, lì sul marciapiede, come se non fosse successo nulla, e voleva dir loro: ma come, non vi siete accorti di niente? Non ha tremato la terra sotto i vostri piedi? Abbassò gli occhi sulla macchia d'olio della sua maglietta. Pensò che l'avrebbe rivisto, era sicuro che non sarebbe finita lì, che non poteva certo finire se ripensando a quegli occhi azzurri vedeva solo un lampo che passava e per qualche secondo gli mozzava il fiato.

Finalmente salì in moto. Si allontanò lungo la strada senza nemmeno pensare più, solo con le immagini di quel pranzo appena finito che si rincorrevano nella testa, e si scoprì a sorridere, sicuro che quello che stava per succedere sarebbe stato bello, e allegro, e pieno di vita, e che, soprattutto, più di ogni altra cosa, tutto quello che stava per accadere non lo avrebbe lasciato, sarebbe stato suo, solo suo, per sempre, fino alla fine dei giorni.

Ringraziamenti

A Elisabetta Sgarbi, per il sostegno, la fiducia e la pazienza.

Alle persone che mi hanno aiutato leggendo e incoraggiandomi: Paola Balzarro, Stefano Bises, Luca di Fulvio, Fabrizio Piccolo, Giancarlo Pastore, Valeria Parrella, Carla Vangelista, Isabella d'Amico, Tinny Andreatta, Maria Sole Tognazzi, Fidel Signorile, e Serena Dandini. Grazie ai loro suggerimenti il mio libro è sicuramente migliore di quello che poteva essere.

Ai molti amici che mi hanno parlato d'amore mentre scrivevo. E che hanno sopportato che per un bel po' di tempo io parlassi solo d'amore.

A Roberto de Francesco per *Adolphe* di Benjamin Constant, da cui è partito quasi tutto.

A Francesca Marciano per un bel pranzo quando era il momento.

A Claudio Masenza per svariate partacce passate. E per quelle future.

A Nanda Pivano, per tutto l'amore.

A Ennio per l'amicizia e i messaggi del mattino.

A Clelia, Roberto e Yuri, per tutto.

Ai lettori del mio primo romanzo che mi hanno scritto e incoraggiato e sostenuto in diversi modi. Grazie al mio Lettore Ideale Nanni, e a Roberto 'O te'.

A Giovanna Cau e Roberto Minutillo Turtur, perché pensano a me.

A Laura Ghiara, che mi è stata a sentire.

A tutta la squadra della Bompiani, Eugenio, Anna Maria, Vittoria, Laura, Claudio, Valeria, Frida, Stefania, Beatrice, Isa, e ad Aimone che si è accorto di un bel po' di cose.

E a Marco per la pazienza.

Quando cerco di scrivere d'amore (e molto di più quando cerco di viverlo), mi si affollano alla mente tutte le parole che ho letto, i versi delle canzoni che ho ascoltato, i dialoghi dei film che ho visto. Mi sembra di appartenere a una catena continua di gioie (e di sofferenze) che tutti hanno vissuto e raccontato prima di me.

È per questo che sono riconoscente a una serie di libri, film e canzoni, per citazioni, rimandi e suggestioni di cui vi sarete accorti leggendo.

Mi piace elencare almeno le fonti più importanti in una specie di bibliografia, filmografia e discografia, libera e molto affollata.

Eccola.

William Shakespeare, *Sonetti*, *Pene d'amor perdute*, *Romeo e Giulietta*, Loredana Bertè, *Mi manchi*, Betty

Blue di Jean Jacques Beineix, Rainer Maria Rilke, *Sonetti*, Pier Vittorio Tondelli, *Camere separate*, *Blue* di Derek Jarman, il *Cantico dei Cantici*, Robbie Williams, *The Road to Mandalay*, Cesare Pavese, *Poesie del Disamore*, Irving Berlin *Let's Face the Music and Dance*, Herman Hesse, *Sull'amore*, Umberto Galimberti, *Le cose dell'amore*, Andrea Pazienza, *Pentothal*, Wystan Hugh Auden, *Shorts*, Anne Carson, *Autobiografia del Rosso*, *Moulin Rouge* di Baz Luhrmann, Johann Wolfgang Goethe, *I dolori del giovane Werther*, Stephane Mallarmé, *Sonetti*, Coldplay, *Clocks*, John Donne, *Il cuore infranto*, Elton John, *Your Song*, *Le lacrime amare di Petra von Kant* e *Querelle* di Rainer Werner Fassbinder, le varie versioni di *Ne me quitte pas* e *La chanson des vieux amants* di Jacques Brel, Nathan Alterman, *Poesie*, Amos Oz, *La scatola nera*, Marivaux, *Il gioco dell'amore e del caso*, John Keats, *Sonetti*, *La legge del desiderio* di Pedro Almodóvar, le poesie di Saffo tradotte da Umberto Saba, Andrew Lloyd Webber, *Think Of Me*, James Hillman, *Il tradimento*, Inoue Yasushi, *Il fucile da caccia*, Dante, *Vita nuova*, Jean Cocteau, *La voce umana*, Roland Barthes, *Frammenti di un discorso amoroso*, Frank Sinatra, *The Way You Look Tonight*, *Holy Smoke* di Jane Campion, James Matthew Barrie, *Peter Pan*, Giuseppe Patroni Griffi, *La morte della bellezza*, Prince, *Nothing Compares 2 U*, Marguerite Yourcenar, *Alexis* e *Fuochi*, Nazim Hikmet, *Poesie*, Raymond Radiguet, *Il diavolo in corpo*, Gustave Flaubert, *L'educazione sentimentale*, tutta la musica di Joe Hisaishi e in particolare *Hana Bi*, Amin Maalouf, *L'amore lontano*, Jacques Prévert, *Poesie*, Stendhal, *Dell'amore*, Meri Lao, *Todo Tango,* Nicole

Müller, *Perché questo è il brutto dell'amore*, Platone, *Simposio*, *La donna che visse due volte* di Alfred Hitchcock, Marcelle Sauvageot, *Lasciami sola,* Seal, *Don't Cry* e *Love's Divine*, Elfriede Jelinek, *La pianista*… e molti altri, perché questo elenco non è ordinato, non è preciso, e non è nemmeno esaustivo. E noi continuiamo a nuotare…